KU-640-745

Melitta Breznik

Das Umstellformat

Melitta Breznik

# Das Umstellformat

Erzählung

Luchterhand

Mit freundlicher Unterstützung
der pro helvetia.


in der Verlagsgruppe Random House GmbH
Druck und Bindung: GGP Media, Pößneck

ISBN 3-630-87128-3

Für meine Mutter

Lange hat es gedauert, bis ich angefangen habe, die Geschichte meiner Großmutter aufzuschreiben, von dem Zeitpunkt an gerechnet, als ich die Porträtaufnahme von ihr das erste Mal in Händen hielt. Es war im März 1998, ich stand in einem kleinen Raum des Dokumentationszentrums für Euthanasie im Dritten Reich, in Hadamar.

Soweit ich mich zurückerinnern kann, existierte lediglich ein Photo, auf dem sie schemenhaft abgebildet war. Es zeigt einen zweistöckigen Ziegelbau, aus dessen Fenster im oberen Stockwerk zwei Gestalten lehnen. Undeutlich erkennt man die Figur einer Frau und die eines Kindes, ihre Gesichtszüge verschwimmen. Von Großmutter ist aus dieser Zeit kein weiteres Photo erhalten geblieben, in den Familienalben fanden sich Aufnahmen von Urgroßmutter mit den Enkeln, von Großvater auf einer Bank sitzend, mit einem Kaninchen auf dem Arm, oder vom ersten Schultag der Mutter 1927, auf dem das in ein weißes Kleid gesteckte Mädchen mit Schmollmund und klaren Augen im Hinterhof des Wohnhauses neben einem mit besticktem Tuch gedeckten Tisch steht und in die Kamera blickt. Es ist der Hof, in dem sie mit ihrer Mutter und den anderen Frauen des Hauses gemeinsam die häufig im Überfluß vorhandenen Pflaumen zu Latwerge verkocht oder die Laken mit einem großen Holzlöffel im Bottich gerührt hatte. Im Hintergrund sieht man einen Garten, getrennt durch einen Holzzaun, die Obstbäume tragen noch Blätter, es ist Herbstbeginn, eine Tafel, die auf dem Tischchen an eine Vase gelehnt worden ist, verrät in einer Aufschrift das Jahr, mein erster Schultag.

Das Porträtphoto von Großmutter war bei Eintritt in die Landesheilanstalt Hadamar gemacht worden, ich besitze es erst seit der Reise mit Mutter nach Deutschland, als wir gemeinsam, auf den Spuren der verlorenen Geschichte von Großmutter, vier psychiatrische Kliniken in Hessen besuchten. Am unteren Rand des Bildes steht in geschwungenen handgeschriebenen Lettern der Name, eine Zeile tiefer, rechts die Nummer 5678, in der linken Ecke das Datum, August 35, Großmutter war zu dieser Zeit neununddreißig Jahre alt. Die ungeordneten glatten Haare sind aus der Stirn gestrichen, sie sehen fettig aus, das Gesicht ist aufgedunsen, der Blick ist in einer vordergründig freundlichen Art auf den Betrachter gerichtet, Spott und ein naiver Hochmut liegen darin, so als ob sie die Situation nicht recht begreifen würde, oder doch, und sie hätte das Unausweichliche bereits erkannt, sich dem ergeben. Sobald sie den leicht in den Nacken gelegten Kopf nach vorne neigt, wenn sie vom Sessel aufsteht, auf dem sie nach Anweisungen des Photographen Platz genommen hat, werden ihr die Haare ins Gesicht fallen.

Sie wird die Strähnen mit der linken Hand hinter das Ohr streichen, während die Schwester ihren Arm nimmt und sie wieder zurück in den überfüllten Krankensaal führt, wo ihr Bett neben dem Fenster steht, auf dessen brauner Wollüberdecke sie das Strickzeug liegengelassen hat, als man sie mitkommen hieß. Der Nackenansatz ist wulstig, ihre Kinnpartie wird am Hals von einer weichen Falte gedoppelt, das Hemd, das sie trägt, ist vermutlich weiß, es wirft an den Schultern Wellen, die Knöpfe am geöffneten Revers sind nicht zu erkennen, lediglich ein in Kreuzstichen eingesticktes K fällt über der rechten Brust auf, der Buchstabe davor hat sich im Schatten des Stoffes verkrochen. Krankenhaus, Klinik, Abteilung K, ein Anstaltshemd, es ist ungebügelt, vielleicht trägt sie es schon seit Tagen am Leib, der Kragen hat sich eingerollt, liegt locker am überbelichteten Teil der dem Betrachter zugewandten Schulter. Ich sitze an meinem Schreibtisch über die alten Aufnahmen gebeugt, daneben einige Bilder von den Kliniken und Anstalten, die ich während der Reise gemacht habe, blättere in der Kopie der Krankengeschichte und lese Seite um Seite Einträge über eine Frau, die ich nicht kenne, von der meine Mutter immer behauptet hat, daß ich ihr sehr ähnlich sei. Ich habe die Bilder rahmen lassen, die Porträtaufnahme der Frau im Anstaltshemd, das Photo von Mutter am ersten Schultag, und vom Haus mit dem geöffneten Fenster im zweiten Stock. Sie hängen sonst über meinem Schreibtisch und werden dort bleiben, bis ich diesen Bericht beendet habe, anschließend werde ich sie abnehmen und in das Familienalbum einordnen. Sie sind in meinem Kopf, mit allen Details, jedem kleinen Schatten, jeder angedeuteten Bewegung.

Wir waren am Morgen von Innsbruck aufgebrochen, an einem naßkalten Märztag 1998, Mutter und Tochter, seit vielen Jahren wieder auf einer gemeinsamen Fahrt unterwegs. Der Schnee am Rand der Straße war von Schotter geschwärzt, Nebelschwaden stiegen aus den nassen Äckern, an deren flachen Krumen da und dort noch ein weißer Fleck an den gefrorenen Krusten festhielt, die Erde dampfte, ein kühler Windhauch wehte durch den Spalt des Autofensters, das ich geöffnet hatte, um den Rauch der Zigarette abziehen zu lassen. Aus dem kaputten Lautsprecher an der Fahrerseite dröhnte heiser ein alter Schlager, »Veronika, der Lenz ist da ...«, ich hatte vor Beginn der Reise, mit deren Vorbereitung ich in den letzten Wochen beschäftigt gewesen war, genügend Musikkassetten für das Autoradio überspielt, weil ich wußte, daß ich auf den langen Fahrten manchmal in eine nicht zu durchbrechende Sprachlosigkeit verfallen würde, die für Beifahrer, ohne daß ich es wollte, beängstigend wirken konnte. Ich verkroch mich in die Monotonie der Straße, der Landschaft, des Regens, der Motorgeräusche, und das Reden, die Unterhaltung wurde zur

Anstrengung. Es gab keinen Grund nach Themen zu suchen, es genügte das Zufahren auf einen imaginären Punkt am Horizont und das Kreisen meiner Gedanken, die sich wechselweise verlangsamten oder beschleunigten und schließlich ständig wiederholten.
Diese Reise hatte immer konkretere Formen angenommen, nachdem ich mich im Dokumentationszentrum Hadamar erkundigt hatte, ob es möglich sei, noch irgendwelche Hinweise auf ehemalige Anstaltsinsassen zu finden. Mutter wollte zunächst nichts davon wissen, war unentschlossen, als ich ihr unterbreitete, daß ich im Sinn hatte, verschiedene Kliniken in Deutschland zu besuchen, in denen Großmutter untergebracht gewesen war, aber auch eine Reihe anderer Orte, die ich in meinem Kopf mit Mutters Jugend und mit ihrer Herkunft, aber auch mit der Zeit des Nationalsozialismus verband. Nachdem ich schließlich geplant hatte, mich allein auf den Weg zu machen, kam Mutters Zusage, sie war inzwischen fast achtzig und hatte seit fünfzig Jahren nicht mehr an der Vergangenheit gerührt, bis ich eines Tages herausfinden wollte, wie Großmutter verschwunden war und warum man in der Familie nichts mehr darüber wußte. Ich ließ Mutter, die neben mir im Auto saß, erzählen, von den Nachbarn, von den Ausflügen, die sie regelmäßig an den Wochenenden mit den Mitgliedern einer Wandergesellschaft für Senioren unternahm, an einen Ort mit einem malerischen See, zu einer mittelalterlichen Burg, man trieb sich auf flachen Spazier-

wegen herum, um anschließend eine Weile im Wirtshaus zu sitzen. Ich kannte die Gruppenphotos, die sie mir gezeigt hatte, ich kannte die Gesichter und Namen der Teilnehmer, obwohl ich nur zweien oder dreien von ihnen persönlich begegnet war, und ich fragte mich jedesmal, was ich mit achtzig noch unternehmen würde. Seit es Vater nicht mehr gab, war Mutter oft auf Reisen, sie hatte jetzt Zeit, etwas von der Welt zu sehen, wie sie sagte, und es schien ihr gutzutun. Sie erzählte, daß alle paar Monate einer der Sitznachbarn im Bus nicht mehr mitfahren würde, und ich stellte mir vor, wie die anderen ihren Kindern oder Freunden erzählen würden, daß Mutter irgendwann einmal nicht mehr dabeisein würde. Ich wußte, daß ich mich an den Gedanken gewöhnen mußte, daß diese Frau, die jetzt neben mir saß und mit der ich die Spuren ihrer eigenen Mutter verfolgen wollte, eines Tages nicht mehr anrufen, keine Rindsrouladen auf den Tisch stellen würde, wenn ich zu Besuch kam, und auch nicht an meiner Wäsche herumflicken, wenn sie zufällig einen losen Faden oder einen fehlenden Knopf entdeckt hatte.

Eine Landstraße in Südbayern, direkt nach der österreichischen Grenze, unsere Route sollte uns nach einer ersten Übernachtung im Norden des Landes am nächsten Tag bis Hessen führen, wo wir einen günstigen Standort suchen wollten, von dem aus wir unsere Tagesausflüge zu den Kliniken in Merxhausen, Marburg, Hadamar und Frankfurt unternehmen konnten. Der

erste Halt war in Nürnberg geplant, weder ich noch Mutter waren vorher schon einmal dort gewesen. Ich hatte nur eine ungefähre Ahnung von der Lage des Reichsparteitagsgeländes, das ich mir ansehen wollte, weil ich mich an die Aufmarschszenen aus Riefenstahls Film über die Parteitagsversammlungen erinnerte, die für mich ein Bild für die Verführung und Verführbarkeit der Menschen damals darstellten. Wir hielten an einer Tankstelle an der Stadtgrenze, um nach der Richtung zu fragen und uns die Beine zu vertreten, denn ich hatte kein Gefühl dafür, wie lang die Fahrtstrecken sein durften, die ich Mutter zumuten konnte, und ich wußte, trotz ihres Alters würde sie nichts sagen, wie immer ertrug sie den Rhythmus der anderen. Ich hatte dem rastlosen Fahren, das sonst von mir Besitz ergriff, bereits durch die Planung der Strecke über Landstraßen zuvorkommen wollen, aber dem zu entgehen war mir auch diesmal nicht gelungen. Ich war seit Stunden nicht stehengeblieben, so als würde die geschützte Kapsel, die der Innenraum des Autos für mich darstellte, jeden Bodenkontakt verlieren, je länger ich mich darin aufhielt.
Erst als wir auf dem Spazierweg am Teich entlang, der im Reichsparteitagsgelände lag, mitten unter Wochenendausflüglern die Abendsonne genossen, war ich das Gefühl los, mich einer Schaulust schuldig zu machen, das in den letzten Minuten der Fahrt hierher von mir Besitz ergriffen hatte. Allein die Anwesenheit hier hatte etwas Eigenartiges an sich, und vielleicht hatte es damit zu tun, daß

wir hier die einzigen Fremden zu sein schienen, oder damit, daß es nicht zum Allgemeingut gehörte, genauer über das Gelände Bescheid zu wissen, denn weder aus den schulüblichen Geschichtsbüchern noch aus sonst einer Publikation, die mir von früher haften geblieben war, hatte ich genauere Angaben über diesen Ort in Erinnerung, als sei er nach dem Krieg einfach vom Erdboden verschluckt worden. Der Film hatte meine Aufmerksamkeit auf ihn gelenkt, mich auf den Gedanken gebracht nachzusehen, was übrig war von dieser Kultstätte, die ich in meiner Wahrnehmung gleichsetzte mit den Bildern von der Entzündung des olympischen Feuers vor der Kulisse einer altgriechischen Ruine, wie ich sie als Kind im Buch über die Wettkämpfe in Berlin 1936 gesehen hatte. Niemand kümmerte sich um etwas anderes als um das eigene Vergnügen, sei es auf Rollschuhen oder mit Kinderwagen und Hund am Wasser entlangschlendernd. Kein Mensch interessierte sich für die an den Parkwegen und Gebäuden angebrachten Hinweistafeln, die das ursprünglich geplante Ausmaß des Areals beschrieben und die Zahlen der Opfer auflisteten, die es gekostet hatte, um die Steine, die für den Bau der Versammlungshalle und der Aufmarschstraße benötigt wurden, aus dem Berg zu brechen und hierher zu transportieren.

Krankenakte Universitätsnervenklinik
Frankfurt am Main / Niederrad
29.8.35

Allgemeinzustand: groß gewachsen, kräftig, vorwiegend nordische Rasse mit dinarischem Einschlag, guter Ernährungsstatus, blonde Haare, helle Augen, frische Haut- und Gesichtsfarbe, Schleimhäute ausreichend durchblutet. Befunde: Schilddrüse weich, nicht vergrößert, Thorax: Atemexkursionen ohne Befund, Herzspitzenstoß normal und kräftig, Herzdämpfung nicht verbreitert, Töne rein, Rhythmus regelmäßig, Lungen perkutorisch und auskultatorisch ohne Befund. Leib: nirgends druckempfindlich, keine Resistenzen. Extremitäten: Muskeltonus und Motilität normal, keine unwillkürlichen Bewegungen irgendwelcher Art. Physiologische Reflexe in normaler Stärke auslösbar, keine pathologischen Reflexe, keine Störungen der Sensibilität. Erblichkeit: nichts bekannt, Erkrankungen: Kinderkrankheiten durchgemacht, kann aber nicht angeben welche, angeblich früher sonst nie krank gewesen. Sexualleben: Menarche mit 12, Periode regelrecht, die Patientin ist verheiratet und hat ein Kind, Mädchen, gesund.
Soziale Entwicklung: nach der Schulzeit in der Lehre in einem Delikatessengeschäft in Essen, dann in verschiedenen Haushaltsstellen, wenn es ihr nicht gefallen habe, habe sie einfach gekündigt. Später zwei Jahre bei Krupp gearbeitet, dann noch ein Jahr in einem Haushalt in

Frankfurt am Main, wo sie ihren Ehemann kennengelernt habe, 1920 geheiratet, nach drei Monaten erste und einzige Geburt. Ihr Mann sei Kriegsgeschädigter, ein Wirbelsäulenschuß, seit vier Jahren Magenkarzinom, man müsse mit dem Kochen immer recht sorgsam sein.

Sandnes, Norwegen, Mai 98

Er saß, wie schon vor Jahren, in seinem goldgelb gepolsterten Ohrensessel, der direkt neben dem großen Blumenfenster vor dem niedrigen Rauchertisch stand, auf dem zahlreiche Ausgaben des *Stavanger Aftenblades* der letzten Wochen lagen, darunter, ich wußte es ohne nachzusehen, der *Petit Larousse* und das *Oxford English Dictionary*, beide abgegriffen, deutsches Wörterbuch brauchte er keines, diese Sprache beherrschte er am besten, er mußte es nur in seltenen Fällen aus seinem kleinen, nach kaltem Rauch stinkenden Büro holen. Wir unterhielten uns auf norwegisch, und mir erschien die Situation vertraut, wir hatten uns in dem Schuljahr, das ich mit sechzehn hier an der südlichen Westküste des Landes verbracht hatte, oft an den dunklen Abenden im Winter unterhalten oder waren in den langen Mittsommernächten auf der Veranda gesessen, während alle anderen schon in ihren Betten lagen, und zum Schluß, wenn wir allzu hitzig diskutierten, trank ich mit ihm noch ein Glas von seinem im Keller destillierten Ribiselwein. Ich war es als Mädchen nicht gewohnt, daß mir jemand stundenlang erzählen und auch zuhören konnte, mich ernst nahm in meiner jugendlichen Neugierde und nicht alles durch einen vernichtenden Satz beendete, der jeden Gedanken im Keim erstickte. Er erzählte mir von einem Land, von dem ich nichts wußte, außer daß es hier viele Fjorde und mehr Schafe als Einwohner gab, ein Land, das mir mit seinen Geschichten Schritt für Schritt näher kam und dessen Sprache ich aufsog, als sei ich noch ein Kind im Vorschulalter, nach der ersten Woche hatten wir uns darauf geeinigt, kein Deutsch mehr zu sprechen. Es war mir immer selbstverständlich erschienen, meine damaligen Gasteltern mit Vater und Mutter anzureden, auf norwegisch, Far und Mor waren zu deren Eigennamen geworden, ich gehörte seit meinem ersten Aufenthalt zur Familie wie eine Tochter. Seither waren zwanzig Jahre vergangen, Far war alt geworden, und in den zwei Tagen, die ich dieses Mal in dem weiß gestrichenen Haus verbracht hatte, dessen Geruch nach Holz, Lack und Zigarettenrauch unverändert schien, hatte er sich immer wieder auf dem Sofa in seinem Büro verkrochen, zu betrunken, um noch einen vernünftigen Satz hervorzubringen. Ich war vorgewarnt worden, hatte mit seiner jüngsten Tochter telephoniert, mit der ich damals ins selbe Gymnasium gegangen war, sie hatte mir oft auf meine Bitten hin die Rechtschreibfehler in den anfangs stümperhaften, auf norwegisch geschriebenen Aufsätzen korrigiert, und im Sommer waren wir fast jeden zweiten Tag nach dem Unterricht auf alten Fahrrädern, gegen den Wind vom Meer her, die beschwerlichen fünf Kilometer zum Sandstrand gestrampelt. Wir waren dort mit dem Hund herumgelaufen und hatten uns in den Dünen vor einem aufkommenden Sturm versteckt, die Wärme der Sonnenstrahlen in den geröteten Gesichtern, den Geschmack von Seetang und Salz auf der Zunge.

»Wundere dich nicht über Vater, er ist schrulliger geworden in den letzten Jahren, es tut mir leid, dir das sagen zu müssen, aber er trinkt, er hat Phasen, die können Wochen anhalten, da ist er gar nicht mehr nüchtern. Außerdem, Mutter weiß manchmal nicht mehr, was sie tut, sie vergißt den Herd abzuschalten, vergißt die Namen ihrer Kinder, findet vom Einkaufen nicht mehr nach Hause, und du weißt, wie weit das ist, gleich um die Ecke, sie hat Alzheimer und ist in Stavanger in Behandlung bei einem Spezialisten.«

Mit diesen Warnungen im Kopf habe ich mich auf die Reise gemacht, es waren zehn Jahre vergangen, seit ich das letzte Mal hiergewesen war, damals hatte ich im Krankenhaus in der Stadt gearbeitet, im Labor, um Geld für das Studium zu verdienen, und am Abend war ich wie früher mit Far bis spät in die Nacht am Fenster gesessen, hatte geraucht, geredet und ein paar Gläser mehr mit ihm getrunken als zur Schulzeit. Ich wußte, daß die anderen es damals noch nicht bemerkt hatten, er hatte den Alkohol nur hervorgeholt, wenn seine Frau schon schlief, und versäumte trotzdem am Morgen nie, rechtzeitig in seiner Werkstatt für Elektroinstallationen, im Keller des Hauses, sein Tagwerk zu beginnen. Nachdem ich diesmal zwischen zwei Arbeitsstellen mehrere Wochen frei genommen hatte, nutzte ich die Zeit, hier für ein paar Tage einen Besuch abzustatten und die mir vertraute, von dunklem Grün und Grau bestimmte Landschaft zu durchstreifen, die sich bei rauhem Wetter in einen Hexenkessel verwandeln konnte, um eine halbe Stunde später unter gleißendem Licht unbarmherzig grell zu erstrahlen. Während ich überlegte, ob ich ihn auf seine verkehrt geknöpfte Wollweste aufmerksam machen sollte, die er nach seinem Mittagsschlaf nachlässig angezogen hatte, erzählte ich zuerst von meiner Mutter, die er im Sommer nach meiner Rückkehr nach Hause vor zwanzig Jahren kennengelernt hatte, als er mit seiner Frau im Anschluß an eine ausgedehnte Deutschlandreise einen Abstecher nach Österreich machte. Ich schilderte ihm unsere Besuche in den Kliniken, den freundlichen Empfang durch die jeweiligen Chefärzte, mit dem ich nicht gerechnet hatte, erzählte von Großmutter und ihrer Krankheit und kam auf meine Beschäftigung mit der Zeit des Dritten Reiches zu sprechen, in der meine Mutter aufgewachsen und Großmutter umgekommen war. Er legte die Zeitung beiseite und schenkte uns Wein nach. Seine Augenlider waren hinter den verschmierten Brillengläsern halb gesenkt, ob er müde war oder einfach nachdachte, konnte ich nicht erkennen. Er schien es nicht mehr gewohnt zu sein, Rücksicht auf sein Gegenüber zu nehmen, versank in sich selbst, um nach einer Weile, als ich schon dachte, er sei eingeschlafen, zu sagen, daß er nach 1945 von all diesen Dingen nichts mehr habe hören wollen. Der ganze Krieg, die Verbrechen seien ihm so unfaßbar erschienen, und er habe erst nach ein paar Jahren angefangen, sich zu informieren, über alles, was er anfangs nicht wahrhaben wollte. Plötzlich sah er mich aus glasigen Augen an, den Blick starr auf mich gerichtet.

»Laß uns ein andermal darüber reden. Die Situation hier war eine andere als die in Deutschland, wir in dieser Ecke des Landes haben damals vieles nicht mitbekommen, aber das kannst du nicht wissen.«

Auszug aus den Polizeiakten des Dauerdienstes der Staatspolizeistelle
Frankfurt am Main
28.8.35

Frau S. erschien bereits in den frühen Morgenstunden beim Dauerdienst des Polizeipräsidiums und erklärte, daß sie zum vereinbarten Termin erschienen sei. Sie redete weiter in unverständlicher Weise, auf die Aufforderung, das Amtszimmer zu verlassen, wurde sie sehr aufgeregt und frech. Es war zunächst beabsichtigt, sie mit ihrem Anliegen der Kriminalwache zu überstellen, schließlich mußte sie durch drei Beamte in die Zelle gebracht werden, da sie um sich schlug und auf wiederholte Aufforderung nicht gehen wollte. Sie selbst gibt zu den anzuzeigenden Vorkommnissen an, daß sie vor einem Vierteljahr ein Jugendfreund aufgesucht habe, er sei vor ihrem Bett gestanden und habe zu ihr gesagt, daß er Blut von ihr haben müsse, auch wenn sie ihn nicht sehen könne, er habe schon damals in Essen, als sie ein Verhältnis mit ihm gehabt habe, die Teufelsunterschrift geleistet, und nur sie könne ihn erlösen aus dem Umstellformat, ein halbes Jahr müsse sie alles auf sich nehmen, und dieses halbe Jahr sei am vierundzwanzigsten November um. Dann erzählte Frau S., sie sei von Mumen umkreist worden und plötzlich habe sie gewußt, daß ihr Jugendfreund, aber auch ihr Schwager am Polizeipräsidium festgehalten würden, um ebenfalls dem Umstellformat zu dienen, und sie sei hier, um diese beiden freizubekommen. Alle Richter und Polizeibeamten seien mit dem Umstellformat verbunden, man habe den Schwager schließlich freigelassen, nur sie habe man dortbehalten, um sie in die Nervenklinik einzuweisen. Dort habe sich eine Schulfreundin von ihr als Ärztin ausgegeben, die von der Gesellschaft beauftragt worden sei, sie für geisteskrank zu erklären, außerdem seien die zwei Ärzte, die sie anschließend behandelt hätten, Cousins von ihr, von diesen habe sie erfahren, daß ihr Mann bald sterben müsse, er würde sie so oder so nicht mehr zurückbekommen, dafür würden sie schon sorgen. Sie hätten sich dauernd um sie gestritten, jeder wollte sie auf seiner Abteilung haben, kein Wunder, denn ihr Vater wäre aristokratischer Abstammung, ihre Großmutter sei eine geborene von R. und der Kammerdiener habe sie im Kinderbett vertauscht. Er wäre dann selbst in den Besitz der Ländereien in Holländisch Indien gekommen. Dies alles sei bereits vom Umstellformat an Ort und Stelle in Übersee nachgeprüft worden, aber das Geld habe nicht gelangt für den Prozeß. Das Umstellformat habe ebenfalls ihrem Mann ein schuldenfreies Haus hingestellt, wenn sie ihr Mann wäre, hätte sie das Geld nicht genommen, ihr wäre die Ehefrau lieber gewesen. In der Nervenklinik, in die sie gekommen war, sind auch sieben Schulfreundinnen gewesen, drei waren als Mumen und vier als Schwestern tätig, sie hätten ihr Gift ins Essen getan und außerdem Giftspritzen verabreicht. Durch Augenhypnose habe das Umstellformat zuerst sie und dann die anderen, die sich als Ärzte und Schwestern ausgaben, in die Gewalt genommen. Frau S. begann wild zu gestikulieren und behauptete, sie habe ein Ferngespräch, das Umstellformat sage, ihr Mann könne sie vergessen, sie würde hier nicht mehr herauskommen. Bei der ganzen Unterhaltung ist Frau S. heiter und sehr gesprächig, wird nur widerborstig, als man sie mehrmals bittet, das Amtszimmer ohne weiteres Aufheben zu verlassen.

29.8.35
Die Vorführung der Frau S. am städtischen Gesundheitsamt, amtsärztliche Abteilung, erfolgt zwecks Untersuchung des Geisteszustandes. Erklärt der Amtsarzt sie für gemeingefährlich geisteskrank, ist sie nach Einholung entsprechender telephonischer Vorsprache bei Abteilung V b unmittelbar in die Anstalt zu bringen, auch die etwaige Entlassung hat nur nach Rücksprache zu erfolgen.

Die Straßenlaternen, befestigt an Drähten, die zwischen den Häuserreihen gespannt sind, schwanken im Wind. In ihrem bewegten Lichtkegel kann ich von meinem Schreibtisch aus feine Regentropfen sehen, der nasse Asphalt spiegelt im Widerschein, die Straßenbahnschienen glänzen, es ist still in der Stadt, wie immer spät am Sonntagabend, wenn sich alle in ihre Wohnungen zurückgezogen haben. Erst in ein paar Stunden werden die ersten Menschen wieder an der Haltestelle warten, um zur Arbeit zu fahren. Ich mag diese Ruhe, diese Zeit zwischen dem Wochenende und dem Beginn einer neuen Arbeitswoche, ich bin gerne wach, wenn die anderen schlafen. Es war an einem Sonntagabend vor Jahren, ich hatte die ersten Monate meiner Assistenzzeit in der Psychiatrie schon hinter mir, als ich gemeinsam mit einer deutschen Kollegin auf der Terrasse meiner Wohnung saß, wir uns über unseren Arbeitsalltag unterhielten und herauszufinden versuchten, warum wir denn ausgerechnet in dieser Sparte der Medizin gelandet waren, trotz der Unbeliebtheit des Fachs bei unseren Mitstudenten und der schrägen Blicke, die man manchmal erntete, wenn man erzählte, daß man eine Ausbildung in diese Richtung anstrebte. Ich sprach von den langen Nachmittagen, die ich während des Studiums mit meinen Büchern im Park des Feldhofs verbracht hatte, der nahe gelegenen psychiatrischen Klinik, den Unterhaltungen mit den Patienten dort, meinen Beobachtungen ihrer Rituale, ihrer Art, sich zu bewegen, sich in ihrer engen Umgebung einen Alltag einzurichten, dort hinter den Anstaltsmauern, und daß mich diese Atmosphäre immer schon angezogen hat, vielleicht weil sie auf eigentümliche Weise nichts zu tun hatte mit dem Leben, das draußen vor sich ging, eine Straße weiter in den Einkaufszentren, wo sich an den Samstagvormittagen Horden von Familien tummelten und stritten, wo gekauft wurde, gegessen, gespielt, und um die Ecke, auf der Einfahrtsschneise zum Zentrum der Stadt, stauten sich Fahrzeuge, brummten die Motoren der Lastwagen, saßen verschwitzte Menschen in ihren Autos, aus denen laute Musik dröhnte. Keiner von denen, die auf der anderen Seite der Mauer lebten, hätte dort etwas verloren gehabt, hätte in diesem Treiben mitmachen können oder wollen, und wenn einer es einmal tat, fiel er unweigerlich auf, und man ließ ihn mit einem Augenzwinkern gewähren, wenn er zu lang an einem der Schnellimbißtische saß, ohne etwas zu konsumieren, oder mit wippendem Oberkörper einen ganzen Tag lang dieselbe Rolltreppe hinauf- und hinunterfuhr, ohne jemanden anzusehen oder auf die Seite zu gehen, wenn einer der eiligeren Passanten an ihm vorbeiwollte. Gestern habe ich seit langem wieder einen Brief von meiner Kollegin bekommen, ich habe sie aus den Augen verloren, sie ist längst wieder nach Deutschland zurückgekehrt, arbeitet dort, wie sie schreibt, in der eigenen psychiatrischen Praxis. Ich denke an den Sommerabend auf der Terrasse zurück, an dem sie von ihrem Onkel erzählte, der in eine Anstalt gesteckt worden war und über den man in der Familie nie viel geredet hatte, sie hatte ihn erst während des Studiums das erste Mal dort besucht. Sie war es auch, die mir damals von dem Dokumentationszentrum erzählte, als ich beiläufig meine Großmutter erwähnte, die nach Angaben meiner Mutter in Hadamar gestorben war und über die man nicht mehr in unserer Familie gesprochen hatte. Ich wußte damals nicht, daß dieser Abend und das Gespräch über die in Anstalten verschwundenen Verwandten der Anfang der Suche nach meiner Großmutter werden sollte. Es war Frühsommer 1995, und ein paar Wochen später hatte ich die Telephonnummer von Hadamar in meiner Post, meine Kollegin hatte sie mit einem Prospekt über das Dokumentationszentrum an mich geschickt, und ich habe beides in meinem Büro an die Pinwand geheftet, in der Absicht, mich dort zu erkundigen, ob es noch Unterlagen über Großmutter gab. Es sollten drei Jahre vergehen, ehe ich das erste Mal zum Hörer griff und meine Recherche begann. Der Zettel mit der Nummer liegt ganz zuunterst in der grauen Schachtel, in der ich seither alles aufbewahre, was ich an Material über die Euthanasie im Dritten Reich gefunden habe, Zeitungsartikel, Bücherhinweise, Broschüren, meine eigenen Notizen, das Tagebuch und Photographien von der Reise, die ich mit Mutter nach Deutschland unternommen habe, die Kopie der Krankengeschichte aus Merxhausen und Hadamar, der Ahnenpaß unserer Familie mütterlicherseits, von Mutter feinsäuberlich ausgefüllt, in den Monaten vor ihrer Heirat mit Vater. Unten auf der Straße fährt ein Radfahrer die Straßenbahngeleise entlang den Hügel herauf, er müht sich über die geringe Steigung von der Kurve am Ende der Häuserzeile bis zur Kreuzung unter meinem Fenster, strampelt in immer weitausschwingenden Serpentinen, bis er plötzlich absteigt und das Rad schiebt. Ich sehe, daß er weiße Haare hat, ein alter Mann, der alleine zu so später Stunde in der Stadt unterwegs ist. Mein Großvater fällt mir ein, in Frankfurt, ich habe ihn nie kennengelernt, er starb ein paar Jahre vor meiner Geburt. Mutter hatte ihn mir als einen Mann beschrieben, der ständig mit dem Fahrrad unterwegs war, bis ins hohe Alter. Ich habe ihn nie fragen können, wie es damals war, als seine Frau aus seinem Leben verschwand und er mit der Tochter allein zurückblieb und sich zurechtfinden mußte. Ich weiß nur, daß man nicht viel darüber geredet hat.

Ich studierte das Informationsschild des Museums am Reichsparteitagsgelände, das an der Hinterseite der Zeppelintribüne untergebracht war, erst im Sommer waren die Räumlichkeiten wieder regelmäßig geöffnet. Daneben las ich auf einer Tafel Angaben über das Areal, das seine geplante Ausbaugröße nie erreicht hatte. Bereits in seinen bestehenden Ausmaßen erschien die Aufmarschstraße, die kolosseumsähnliche Versammlungshalle überdimensional, wobei sich in meiner Wahrnehmung das Feld vor der Tribüne als recht bescheiden ausnahm, wenn ich es mit den scheinbar gigantischen Dimensionen verglich, die mir der Film über den Reichsparteitag, den ich in Ausschnitten vor kurzer Zeit nochmals gesehen hatte, vermittelte. Die Arbeitskolonnen, die ihre Spaten wie Gewehre geschultert hatten, die endlosen Reihen der uniformierten Fahnenträger, die mit steifem Schritt in präzise eingehaltenen Formationen über die Rasenfläche marschiert waren, all dieser im Film trotzig eroberte Raum schrumpfte hier zur Größe eines Fußballfeldes zusammen. Mutter schlenderte meist still neben mir her, wendete sich zum Gehen, wenn ich auf der Suche nach der besten Perspektive für ein Photo die vorgegebenen Wege verließ, es war ihr unangenehm, ihre Tochter von

Passanten beobachtet zu wissen, und schließlich drängte sie mich zum Verlassen des Geländes, nach der langen Fahrt sei sie müde, und wir hätten noch kein Zimmer für die Nacht.

»Was willst du hier eigentlich finden, frag ich mich, und was hat das alles mit deiner Großmutter zu tun?«

Ich spürte einen Anflug von Ärger in ihrem Ton. Wir hatten beide den Blick auf den Schriftzug einer Versandhausfirma gerichtet, der über einem der Nebeneingänge zur Versammlungshalle angebracht war. Die Räume waren offensichtlich an verschiedene Benutzer vermietet worden. Warenlager 1, darunter der Name einer Firma mit weißer Farbe an die Wand gemalt. Er rief die Erinnerung an eine blau-weiß karierte Hemdbluse in mir wach, die ich gerne getragen hatte, Leinen mit Perlmuttknöpfen, ich hatte den Geruch nach feuchtem Stoff in der Nase, sah mich, wie ich Mutter vom Küchensofa aus beim Bügeln beobachtete, und mußte daran denken, wie ich den bunt bebilderten Frühjahrsbestellkatalog dieses Versandhauses auf meinen Oberschenkeln liegen gehabt hatte, die Frage auf den Lippen, ob ich nicht das rote Modell für den Sommer haben könnte. Es waren immer ähnliche Kleidungsstücke, die ich zum Anziehen bekam, etwas zu groß, zu praktisch, ich habe nicht viele davon getragen, sie blieben im Schrank verstaut, ich trug immer das gleiche, auch diese Blusen. Mir fiel auf, daß Mutter oft gesagt hatte, Schmuck und Schminke seien kokett, man solle sich schlicht kleiden und Bleistiftabsätze an Schuhen fände sie lächerlich. Ich wollte sie fragen, wie viele ihrer Vorstellungen sie aus der Nazizeit mitgenommen hatte, mit der ich mich seit der Suche nach Großmutter immer mehr zu beschäftigen begonnen hatte, nicht nur mit den Berichten über Euthanasie in psychiatrischen Kliniken und Heilanstalten oder mit Büchern über den Kriegsverlauf und dessen Hintergründe. Ich wollte gerne mehr über den Alltag damals erfahren, über die Umstände, die das Leben meiner Mutter bestimmt hatten, und über die Bedeutung von Gegenständen, die in meiner eigenen Jugend diese Zeit noch weiter fortleben ließen. Doch jetzt auf dem Reichsparteitagsgelände war nicht der richtige Augenblick, um mit ihr darüber zu reden, ich wollte sie nicht weiter verärgern oder womöglich in die Enge treiben, ich wollte später bei einer günstigeren Gelegenheit darauf zurückkommen.

»Ich möchte nur herausfinden, was die Menschen damals beschäftigt hat.«

Sie schien zunächst mit meiner Antwort zufrieden zu sein und drehte sich nochmals der mit riesigen Platten gepflasterten Aufmarschstraße zu, über die wir vorher gekommen waren.

»Es ist gigantisch, ich kann mir gut vorstellen, wie die hier ihr Spektakel aufgeführt haben. In Frankfurt hab ich nur kleinere Umzüge gesehen, das hat mir manchmal schon die Gänsehaut über den Rücken laufen lassen, und ich wußte nur eins, harmlos ist das Ganze nicht.«

»... und im Schritt und im Tritt geht das Herz wieder mit, und dann fängt ein neuer Frühling an ...«, gerade diese Strophe eines Liedes über die Arbeit, war mir von unserer Fahrt noch in den Ohren, Mutter hatte die Melodie mitgepfiffen, zunächst in freudigem Erkennen, dann ist ihr auch der Text wieder eingefallen. Ich dachte an meine Kindheit, an die Musik, die mein Vater noch in den Sechzigerjahren gehört hatte, die Märsche der Wehrmacht gehörten dazu, wenn er am Sonntagmorgen nach dem Frühschoppenkonzert im Radio seinen Kassettenrekorder einschaltete und in voller Stärke das blecherne Geschepper aus den Lautsprechern drang, ständig hatte er viel zu laut eingestellt, wegen seiner Schwerhörigkeit, die ihn seit den Kriegsjahren plagte, bei einer Explosion in unmittelbarer Nähe war ihm ein Trommelfell zerrissen. Es war, als hätte nicht längst schon eine andere Zeit begonnen, nur wußte ich das als Kind nicht, und es schien später, als ob ich unausgesprochen einen Teil der Vergangenheit meiner Eltern miterlebt hätte. Es gab zu Hause einige stumme Boten dieser Zeit, niemand hatte mir etwas über sie erzählt, der Steingutkrug der Legion Condor im Vitrinenfenster neben dem Fernseher, verziert mit dem Emblem eines fliegenden Adlers, der ein Hakenkreuz in den Krallen trägt, die Wehrmachtsuhr, die nie zur Reparatur getragen wurde, im Dokumentenschrank aber einen Ehrenplatz hatte, all das war Teil unseres Haushaltes. Das Buch über die Olympiade in Berlin 1936 und die Bände mit den Zigarettenabziehbildchen,

auf denen, übertrieben gezeichnet, blutrünstige Szenen den Sklavenhandel der Engländer, Holländer und Franzosen in Kolonialzeiten darstellten, hatte ich verschlungen wie andere ihre Mickymaushefte. Ich überlegte, ob ich sie fragen sollte, warum dies alles so sorgsam aufbewahrt worden war über die Jahrzehnte, traute mich aber dann doch nicht und blickte an den Wänden der Versammlungshalle empor, Mutter stand in sich versunken und von mir abgewandt.
»Kannst du dir vorstellen, daß dieser Bau noch größer werden sollte, als er ohnehin schon ist?«
Die Luft war kühler geworden, der Abendwind fegte ein paar vertrocknete Blätter an die Hausmauer, das Licht begann trüber zu werden, denn die Sonne war schon eine Weile hinter der dunklen Wolkenbank verschwunden, die im Westen aufgetaucht war, der Park hatte sich geleert, nur ein alter Mann saß auf einer der nahen Bänke am Teich, man sah seinen schmalen Rücken und den zur Seite geneigten Kopf, auf dem schief ein dunkelgrüner Lodenhut ihm beinahe ins Genick zu rutschen schien, seiner krummen Haltung nach war der Alte eingeschlafen. Mutters Gesichtsausdruck hatte sich verändert, die etwas skeptisch und gereizt zusammengekniffenen Augenbrauen, die in diesem Zustand tiefe Falten oberhalb der Nasenwurzel bildeten, hatten sich wieder entspannt, der Ton ihrer Stimme war tiefer, leiser geworden.
»Sechzig Jahre ist das alles her, und ich kann mich an

wenig erinnern, was mit meiner Mutter zu tun hat. Ein paar Bilder aus der Kindheit, und dann nichts mehr. Es gibt so etwas wie ein unbestimmtes Gefühl, daß wir damals nicht vehement genug versucht haben, sie aus der Klinik herauszuholen. Ich wußte nur, daß sie in verschiedenen Anstalten untergebracht war, zuerst Frankfurt, da habe ich sie zu Beginn öfter besucht nach der Schule, dann Hadamar, und danach verliert sich die Spur. Daß sie in Marburg, in Merxhausen gewesen sein soll, keine Ahnung, ich dachte immer, sie sei bis zum Schluß in Hadamar geblieben, das hab ich dir auch erzählt, Hadamar, ein Name, der einem einfach im Gedächtnis haften bleibt. Ich hab sie dort gemeinsam mit deinem Großvater besucht, zu Anfang öfter, dann aber immer seltener, weil er die meiste Zeit arbeiten mußte und weil er häufig krank war wegen seines Magens und der alten Rückenverletzung.«
Sie ging zwei Schritte den Weg zwischen Teich und Versammlungshalle entlang und sah zu dem alten Mann auf der Bank hinüber, der sich mit steifen Gliedern von seinem Sitzplatz erhob. Plötzlich blieb sie stehen und wandte sich mir zu.
»Meinst du, es ist gut, wenn wir das alles wieder ausgraben, vielleicht sollen wir gar nicht in die Kliniken fahren, vielleicht würde es Großmutter auch nicht wollen, daß wir nachforschen, was mit ihr geschah, vielleicht stimmt auch nichts von dem, was dort in der Krankengeschichte geschrieben steht.«

Sie hatte ihren Kragen als Schutz gegen den Wind hochgestellt und war dabei, ihre Handschuhe anzuziehen, in einer Geste, die mir wie eine Ablenkung von ihrem letzten Satz erschien, und nach einem kurzen Zögern hakte sie sich bei mir ein.
»Du hast ja Recht, umzukehren wäre feige, wir machen das jetzt, komm, laß uns gehen.«
Mir war schon kalt, und eigentlich hatte ich gar keine Lust mehr, ins Auto zu steigen, aber ich wollte nicht in Nürnberg übernachten, sondern noch eine Strecke fahren, um am nächsten Tag die erste Klinik zu besuchen, Merxhausen, Großmutters letzter Aufenthaltsort.

Tonbandskript, Juli 98

Das Telegramm kam für uns damals aus heiterem Himmel, denn ich hatte sie noch zwei Wochen vorher in der Klinik besucht, konnte nicht mehr so oft hinfahren wegen des Arbeitsdienstes, und bis dahin war es auch weit mit dem Zug. Mutter sei an Herzversagen gestorben, ist draufgestanden, dabei hat sie doch nichts mit dem Herz zu tun gehabt, gehinkt hat sie, das war alles, nach einer Granate im Ersten Weltkrieg, wenn es warm war, ist das Bein ganz blau angelaufen. Als wir ihre Urne abholen und uns erkundigen wollten, was eigentlich geschehen war, am Telephon haben wir keine Auskunft erhalten, da konnten wir nicht mehr nach Merxhausen fahren, ein Staudamm war bombardiert worden, und die Überschwemmungen hatten die Bahnlinie unpassierbar gemacht. Später dann sind wir benachrichtigt worden, daß ihre Asche auf dem Anstaltsfriedhof beigesetzt worden sei. Soviel ich mich erinnern kann, sind wir nie mehr dort hingefahren. Woran sie wirklich gestorben ist, haben wir nicht herausgefunden, man ahnte später im Krieg, daß sie viele Kranke in den Heimen umgebracht haben, aber Genaueres wußten wir nicht, woher denn auch, über derartige Vorgänge wurde nur hinter vorgehaltener Hand gesprochen. Vater und ich versuchten, so gut es ging, in der bombardierten Stadt zurechtzukommen, der Tagesablauf war von den Sirenen bestimmt, es war nicht möglich, sich etwas vorzunehmen, man orientierte sich am nächstmöglichen Unterschlupf, in den man sich verziehen konnte, wenn es wieder losgehen würde.

Er ist nie mit in den Keller, weder in unserem Haus noch in den Luftschutzbunker ein paar Straßen weiter, was soll ich da drin, wenn es uns dort erwischt, sind wir alle auf einen Schlag hin, ich bleib hier, hat er gesagt. Jedesmal hab ich versucht, ihn zu überreden, habe mir Sorgen um ihn gemacht und wollte zuerst auch bleiben, bis er mich angeschrien hat, lauf Mädchen, du mußt hier weg, als schon das Dröhnen der Flugzeugmotoren in der Ferne zu hören war und die ersten Detonationen losgingen. Unsere Haushälterin hat es dann nicht mehr ausgehalten, sie hat mich am Arm gepackt, und wir sind mit dem Koffer, den wir an der Tür immer bereitstehen hatten, die Stiegen hinunter. Einmal hab ich den Bunker nicht mehr erreicht, der Alarm hatte zu spät eingesetzt. Ich konnte mich nur mehr ausgestreckt am Boden an eine Hausmauer drücken, meine Tasche über den Kopf, und ich hatte keine Angst, wußte genau, daß mir nichts passieren würde, obwohl ein paar Straßen weiter eine ganze Häuserreihe getroffen war und der Boden so gezittert hat, daß ich geglaubt habe, die Erde unter meinem Körper würde sich auftun. Als die anderen aus dem Keller kamen, bin ich noch immer dort gelegen, obwohl die Sirenen schon längst Entwarnung gegeben hatten, die Leute dachten zuerst, ich sei tot, ich hab mich eine Zeit nicht bewegen können, und ich weiß, es ist doch Angst gewesen, die mich hat starr werden lassen, nur der Körper hat reagiert, hat sich nicht gerührt und taub gestellt, vielleicht hätte es nicht einmal weh getan, wenn ich getroffen worden wäre. Von den andern, die bei uns im Haus wohnten, habe ich dann erzählt bekommen, daß Vater während der Angriffe auf den Dächern herumgeklettert war und die Brandsätze entfernt hatte, kein einziges Haus unserer Umgebung ist in Flammen aufgegangen, sie haben ihn alle für verrückt gehalten, aber froh waren sie auch, wer weiß, wir haben doch wohl Glück gehabt, daß nichts Ernsthaftes in unserer Gegend abgeworfen worden ist. Das Farbwerk, in dem ich arbeitete, wurde nicht bombardiert, und man hat natürlich gemunkelt, nur deshalb, weil es reichen Juden gehört hatte, die nach Amerika ausgewandert sind. Nur einmal landete eine Bombe neben dem Hauptportal in der Halle, wo die französischen Zwangsarbeiter ihr Lager hatten, sie sind allesamt verbrannt, wir haben sie noch schreien hören, als wir aus dem Luftschutzkeller gekrochen sind, aber es war zu spät, um zu helfen, die Eingänge waren verschüttet und das Feuer nicht zu löschen. Nach und nach lag die ganze Stadt in Trümmern, heute kann man sich das gar nicht vorstellen, wir sind aus unserem Viertel kaum mehr herausgekommen, vom Arbeitsdienst in der Fabrik ging es sofort nach Hause, zuerst schlafen, wenn man überhaupt konnte und nicht gerade Alarm war, dann ab und zu mit dem Fahrrad hinaus aufs Land zu den Bauern, um sich etwas Eßbares zu besorgen, wir haben alles mögliche eingetauscht, Schmuck war am begehrtesten, das Geld war nichts wert, das Fahrrad mußten wir behalten, es war das Wichtigste. Ich weiß gar nicht mehr, ob Straßenbahnen noch gefahren sind, der Dom war zerstört, die ganze Altstadt, ein paar der alten Häuser haben sie wiederaufgebaut, dazwischen ist alles neu, ich kenne die Stadt nicht mehr, sie ist mir fremd geworden. Früher, früher war Frankfurt schön.

Sandnes, Mai 98

Das Mädchenzimmer, in dem ich gewohnt hatte, war fast unverändert, ich erkannte die Bücher wieder, die braunen Vorhänge mit dem zartrosa Magnolienblütenmuster, auch der Bettüberwurf war seither nicht erneuert worden, sogar der Aufkleber an der Tür, den ich damals dort befestigt hatte, war noch da, ein grünes Herz mit der Aufschrift für eine Fremdenverkehrswerbung aus Österreich. Die Werkstatt im Keller gab es nicht mehr, dort war seit einigen Jahren die älteste Tochter mit ihrer Augenarztpraxis eingezogen, Far hatte die Räume kurz nach seiner Pensionierung selbst umgebaut. Ich hatte meinen Besuch hier um einige Tage verlängert, versorgte so gut es ging den Haushalt, denn er ließ es nicht zu, wenn ich zuviel Hand anlegte, er kochte sogar, obwohl er fast den ganzen Tag derart betrunken war, daß er keinen geraden Satz mehr herausbrachte. In den Zeiten, in denen er sich auf dem Sofa seines Büros verkrochen hatte, versuchte ich den verwahrlosten Garten zu pflegen, was er dann mit einem Lächeln quittierte, wenn er entdeckte, daß der Rasen gemäht und die Himbeersträucher vom Unkraut befreit waren. Mor wohnte seit zwei Monaten im Altersheim drei Straßen weiter, und er besuchte sie oft, ging mit ihr spazieren oder führte sie zum Essen in die Pizzeria im Ort, was er früher nie getan hatte, sie hätte es in ihrer übertriebenen Sparsamkeit, mit der sie die fünf Töchter großgezogen und den Haushalt ge-

führt hatte, nicht zugelassen. Als ich ihn bei einem Besuch begleitete, war ich mir nicht sicher, ob sie mich erkannt hatte, obwohl sie fragte, wann ich denn das nächste Mal wiederkommen würde, und daß es bald sein müsse, sie hätte nicht mehr so viel Zeit. Far erzählte von ihrer immer größer werdenden Verwirrtheit, im Morgengrauen sei sie im Nachthemd auf die Straße gegangen, mit Besen und Putzeimer in der Hand, und er mußte sie immer wieder zurück ins Haus bringen. Nur noch wenige Stunden waren ihm geblieben, in denen er selbst zur Ruhe kam, weil sie die Nacht zum Tag gemacht hatte und nicht mehr fähig war, den Stuhlgang zu kontrollieren, und alles im Haus mit Kot beschmiert hatte. Ich sah die Verzweiflung in seinem Gesicht, als würde man ihm einen Vorwurf daraus machen, daß er mit über achtzig nicht mehr in der Lage war, seine Frau nach fünfzig Ehejahren im eigenen Haus zu behalten und zu pflegen.
Bevor ich in dem alten Holzhaus bei Far mein früheres Zimmer bezog, hatte ich zuerst fünf Tage in Oslo verbracht, eine der Schwestern besucht, die eine Praxis für Allgemeinmedizin in einem Vorort der Stadt betrieb, und ich benutzte die Gelegenheit, noch einmal durch die Straßen zu schlendern, durch die ich vor zwanzig Jahren geschlendert war. Ich spielte mit dem Gedanken, in Oslo eine Arbeit anzunehmen, hatte verschiedene Kliniken angeschrieben, mit den leitenden Ärzten telephoniert, um Vorstellungsgespräche zu vereinbaren. Meine Streifzüge führten mich ins Munchmuseum, in den Vigelandspark

mit seinen unzähligen Plastiken, die mich in ihrem naiven Naturalismus wieder erstaunten und abstießen, an diesem Eindruck hatte sich seit meinem ersten Besuch nichts geändert. Zuletzt war ich im Museum der Hjemmefront, der Widerstandsbewegung gegen die Invasion der Deutschen, gelandet, eher zufällig, es war in der Festung über der alten Hafenanlage untergebracht, an der ich täglich spazierenging, um die Aussicht auf den von Hügeln umgebenen Fjord mit seinen Inseln und die vereinzelt vorbeifahrenden Schiffe und Fährboote zu genießen. Ich erzählte Far von meiner, wie mir schien, interessanten Entdeckung, ich wußte wenig über den Kriegsverlauf in Norwegen und wollte von ihm mehr darüber erfahren, doch er nippte nur an seinem Glas und goß mir von dem Wein, den ich in Österreich für ihn gekauft hatte, nach. Ich hatte es nicht über das Herz gebracht, ihm keinen Alkohol zu schenken, was nach den Schilderungen seiner Tochter sicherlich vernünftiger gewesen wäre, aber ich wußte, daß er sich darüber am meisten freuen und jeden einzelnen Schluck zelebrieren würde, denn hier hatte man über die Jahre in den staatlichen Weinhandelsgeschäften nur teure und nicht besonders gute Sorten bekommen, und zudem hatte er sich fast nur mit seinem selbsterzeugten Fusel versorgt. Nach einer Weile sprach ich ihn nochmals auf seine Erlebnisse im Krieg an, und er verzog ein wenig das Gesicht, bevor er sich räusperte.

»Das war gar nicht so großartig, wie die es darstellen.«

Nach und nach bemerkte ich seinen gereizten Ton und war überrascht, als er mir erzählte, daß nicht so viele Norweger, wie im Museum und in anderen Dokumentationen behauptet wurde, gegen die Okkupation der Deutschen gewesen waren. Nur wenige Wochen nach dem Einmarsch mußte sich das Land ergeben, denn die Engländer hatten die Unterstützung des kleinen und ohnehin nicht vorbereiteten norwegischen Heeres bald eingestellt. Er erzählte mit mißbilligender Miene, daß der König und die Regierung sich als erste nach England abgesetzt hatten und das Land sich selbst überlassen blieb.
»Die von der Heimatfront sagen heute noch, wir hätten uns sicher später aus eigenen Kräften befreien können, nur weil sie da und dort ein bißchen sabotiert haben.«
Ich hatte nicht erwartet, daß Far derart scharf reagieren würde, aber auf einmal merkte ich, daß ich an etwas geraten war, worüber er sonst nicht sprach, und wunderte mich nicht mehr über seinen plötzlichen Ausbruch.
»Man darf nicht übersehen, viele haben sympathisiert, so wie ich, aber in meinem Fall hatte das mehr mit der deutschen Kultur zu tun, und mir wurde erst im Krieg klar, wie sehr ich mich geirrt hatte.«
Er verstummte, lehnte sich zurück und schaute lange auf den dunklen Garten hinaus, an dessen äußerer Begrenzung man im Gegenlicht der Straßenlaternen undeutlich die Umrisse der zurechtgestutzten Büsche erkennen konnte, die er jedes Frühjahr mit der Heckenschere mehrere Tage bearbeitete. Es fiel mir ein, wie ich mich frü-

her gewundert hatte, als ich ihm dabei zur Hand gegangen war, weil man hinter dieser grünen Wand kaum das Haus sehen konnte, im Gegensatz zu den sonst hier üblichen Gartenumgrenzungen, die den Blick auf die großen Wohnzimmerfenster in der Nachbarschaft freigaben. Nach einer Pause putzte er sich mit einem großen weißen Stofftaschentuch die Brille und strich danach gedankenverloren mit den Fingern über den Umschlag einer deutschen Ausgabe der *Schachnovelle*, die er gerade las und von der ich nicht wußte, ob er sie nicht schon zum zweiten oder dritten Mal wieder zur Hand nahm, so abgegriffen war das Buch.

»Viele gaben nachher an, den Widerstand unterstützt zu haben, aber die Mehrheit hat gar nichts getan, hat sich still verhalten und zugesehen, wie sie mit den neuen Verhältnissen zurechtkam.«

Er erzählte, daß er hier, in diesem Ort, einer der wenigen war, die nicht noch während des Krieges aus der Partei ausgetreten waren, und blickte mich über den Rand seiner Brille hinweg an. Er beugte sich auf seinem Lesesessel nach vorn, seine beiden Hände hielten verkrampft die Kanten der Armlehnen umklammert, wobei seine Fingergelenke sich deutlich unter der gespannten Haut abzeichneten und weißlich verfärbten.

»Ich weiß nicht, ob du das heute verstehst, ich wollte das sinkende Schiff nicht verlassen, aber ich habe mich in den letzten Jahren immer wieder gefragt, ob ich richtig gehandelt habe.«

Krankenakte Landesheilanstalt Hadamar

12.11.35

Die Patientin arbeitet die meiste Zeit im Nähzimmer, hin und wieder leidet sie unter so starken Verwirrungszuständen, daß sie zu arbeiten aufhört und wegläuft. Geht unruhig im Schlafsaal auf und ab, erklärt bei einer Unterredung, daß der Referent wegen ihr schon wieder fünf Frauen ins Umstellformat gebracht hätte. Erhält fast jeden Sonntag Besuch vom Mann und dem Kind, verhält sich ihnen gegenüber sehr nett und ruhig, bedauert, daß die beiden jetzt ohne sie auskommen müßten, erkundigt sich nach dem Gang der Dinge zu Hause.

29.11.35

Ist wieder völlig mit dem Umstellformat beschäftigt, arbeitet nichts, sitzt mit gespanntem Gesichtsausdruck herum, wird manchmal ausfällig gegenüber den Pflegerinnen und tätlich aggressiv. Hat immer wieder Körpersensationen, Beziehungsideen, wechselt in den letzten Tagen stark die Stimmung.

18.3.36

Patientin ist unverändert, wird ständig in ihrer Vorstellung körperlich belästigt, bekommt nachts Kampferspritzen, ist immer Teil ihres Umstellformates, verkennt alle Personen der Umgebung und begrüßt sie als alte Bekannte. Der Mann kommt mit der Tochter sehr oft zu Besuch, ist sehr uneinsichtig, die Frau sei nicht krank, ihre Idee, ein Schloß in Indien zu besitzen, sei richtig, ihre Vorfahren hätten dort eines mit Ländereien besessen, und daß sie adeliger Abstammung sei, könne er auch bestätigen, es sei nur schwer, den Prozeß wegen des Besitzes und der Anerkennung der adeligen Herkunft durchzukämpfen, dazu hätten sie nicht das nötige Geld.

2.5.36
Patientin lag mit erhöhter Temperatur und Zahnschmerzen ein paar Tage im Bett, war zeitweise störend und laut, drohte, eine Bettnachbarin zu zermalmen und bedrohte fast täglich die Pflegerinnen, packte plötzlich eine Schwester am Hals und an den Haaren, wurde in starkem Erregungszustand in den Wachsaal gebracht, dort 1 ccm Apomorphin.

Die Seiten des Olympiabuches von 1936, das vor mir auf dem Schreibtisch liegt, sind vergilbt. Dieser Sammelband der Olympischen Zeitung ist gefaßt zwischen graublau melierten Pappkartondeckeln, mit Leinenrücken, ein monströses Ding, es stand, seit ich mich erinnern kann, bei uns zu Hause im Regal. Jetzt habe ich es wieder aus einer der Bücherkisten am Dachboden gegraben, wo seit dem letzten Umzug noch einiges auf seinen neuen Platz in der Wohnung wartet. Beim Überfliegen glaube ich, manche Photographien wiederzuerkennen, die mir von Erinnerungen aus meiner Kindheit noch vor Augen stehen, als ich dieses Buch, das mich allein schon wegen seiner Größe anzog, immer wieder durchgeblättert habe. Das Stadion in Berlin, der Einmarsch der Sportler der teilnehmenden Nationen, Hitler mit erstarrtem Gesichtsausdruck, der Schirmherr der Spiele, wie die Überschrift lautet, ich weiß, daß ich mit diesem Wort damals wenig anfangen konnte. Dann die Menschenmenge in den Zuschauerrängen beim Gruß mit erhobenem Arm, Jesse Owens mit Siegerkranz, deutsche Sportler in Uniform, mit Erwähnung des militärischen Ranges im Beitext, und eine Reihe Bilder von Frauen in Trachten, beim Applaudieren über eine Balustrade gelehnt, Athletinnen beim Kochen. In den Anzeigen fand sich ein gemaltes Werbeplakat der Großglockner Hochalpenstraße, auf deren Aussichtsparkplatz Limousinen vor dem Hintergrund der Gletscherkulisse der Pasterze stehen, dieses Bild kenne ich genau, denn der Prospekt ist mir später, unter Vaters Landkartensammlung vergraben, wieder in die Hände gefallen, eine Version aus den Dreißigerjahren mit Hakenkreuzflagge am Fahnenmast, die zweite, aus den Fünfzigern mit rot-weiß-roter Beflaggung, die Abbildung ist dieselbe. Ich beginne die Seiten schneller zu wenden, suche nach Bildern von Frauen beim Wettkampf, aber finde nur wenige, meist sind sie als schmuckes Beiwerk am Bildrand platziert, jubelnd und Taschentücher schwingend, in adretter Haltung in den Mittelpunkt einer Gesellschaftsrunde gerückt, oder als Turnerinnen mit weißen Röckchen, wie sie in Formationen über den Rasen fegen. Auf den wenigen Porträtgroßaufnahmen haben die deutschen Medaillengewinnerinnen meist ein ähnliches Aussehen, sie sind braungebrannt im Gesicht, haben kurzes Haar, im weißen weitgeschnittenen Trainingsanzug mit Wappenadler und Hakenkreuz auf der Brust. Das deutsche Mädel, unkompliziert, schmucklos, ohne Lippenstift, keine nachgezogenen Augenbrauen. Das kommt mir alles sehr bekannt vor, oder ist es mir deswegen so vertraut, weil ich etwas suche und es so sehen will, auf meiner Entdeckungsreise in die Jugend meiner Mutter? Eine Veränderung muß mit ihr vorgegangen sein, es war mir schon früher aufgefallen, daß sie auf Photographien vor dem Krieg in damenhafter Haltung vor der Kamera posiert hatte, in Röcken, die stark die Figur betonten, und eleganten Seidenblusen. Später die praktische Erscheinung der Hausfrau und Mutter, in unförmigen Sackkleidern mit großem Karomuster in den Fünfzigerjahren, in geblümter Kittelschürze im Schrebergarten in den Sechzigerjahren, doch ihr Blick konnte eine gewisse Koketterie nie verbergen, ein aufreizendes Lächeln um den Mund, ein herausfordernder klarer Blick. Es war mir ein Rätsel geblieben, ob diese Veränderung mit dem Krieg zu tun hatte und mit dem Frauenbild, das damals propagiert wurde – die Frau ist die Stütze des Mannes und arbeitet still und bescheiden im Hintergrund, sie gewährleistet das häusliche Gedeihen der Familie, im besonderen der Kinder, die sie zahlreich zur Welt bringt, um das Fortleben der deutschen Volksgemeinschaft zu garantieren –, solche und ähnliche Sätze waren mir nach der Lektüre verschiedenster Bücher über diese Zeit im Gedächtnis geblieben, und ich fragte mich, wieviel meine Mutter mir davon weitergegeben hatte. Welches Bild hatte ihr die eigene Mutter hinterlassen, die aus ihrem Alltag verschwand, als sie fünfzehn war, und wie hatte sie darauf reagiert? Aus der Zeit des Krieges gibt es wenige Aufnahmen, eine, auf der sie in der Uniform ihres Verlobten in strammer militärischer Haltung am Fenster steht, eine weitere mit Kopftuch und hochgekrempelten Ärmeln beim gemeinsamen Putzen mit Else, der Haushälterin, dann ein Bild vom Brautpaar, Mutter in einem dunklen schlichten Kleid. Waren es ihre Erlebnisse während des Krieges, die jegliche modischen Eskapaden, wie hohe Schuhe, aufwendigere Kleiderschnitte und Schmuck, als verpönten Luxus erscheinen ließ, vielleicht sogar als Frevel? Von Großmutter gibt es kein Bild, anhand dessen man sich eine Vorstellung davon machen könnte, wie sie sich gekleidet hat, welche Frisur sie trug, welche Farben sie bevorzugte. Ich habe nur das Bild, auf dem sie das zerknitterte Anstaltshemd trägt. Kein einziger Gegenstand aus ihrem persönlichen Besitz ist erhalten geblieben, es existiert nur die Kopie der Krankenakte einer Frau B. S. und ein weißer Fleck in der Familiengeschichte.

An die Direktion der Landesheilanstalt Hadamar
Enkheim den 24.1.36

Ich möchte hiermit bei der Direktion anfragen, wie es mit Frau S. steht. Die Briefe meiner Frau legen doch die Vermutung nahe, daß sie gesund ist. Ich war auf dem Polizeipräsidium gewesen, welches die Einweisung veranlaßt hat, dort wurde mir mitgeteilt, die Anstalt sei in diesen Dingen maßgebend, deswegen wende ich mich jetzt vertrauensvoll an Sie. Ich denke doch, daß ich als Kriegsbeschädigter Hilfe beanspruchen kann, und gehe davon aus, daß die Direktion darauf Rücksicht nehmen wird. Wenn meine Frau den ganzen Tag in der Anstalt arbeiten kann, dann wird sie hier zu Hause ihre Arbeit doch auch verrichten können, wo sie schon vorher bis zur letzten Stunde ihrer Arbeit nachgegangen ist.
Ich bitte die Direktion umgehend, mir Bescheid zukommen zu lassen, wann ich mit der Entlassung meiner Frau rechnen kann.

Mit deutschem Gruß
P. S.
Enkheim, Kreis Hanau

Landesheilanstalt Hadamar/Nassau
26.1.36

An Herrn P. S.

Auf Ihr Schreiben vom 24. ds. Mts. teilen wir Ihnen mit, daß Ihre Frau noch nicht gesund ist. Sie leidet an Verwirrungen, eine Entlassung Ihrer Frau kann daher vom ärztlichen Standpunkt aus im Augenblick nicht befürwortet werden.

Der Direktor

An die Direktion der Landesheilanstalt Hadamar
Enkheim den 25.2.36

Ich frage hiermit bei der Direktion an, ob ich meine Frau B. S. auf meine Verantwortung hin bis zum Sonntag nach Hause holen kann. Wie ich sehe, ist meine Frau nicht gemeingefährlich, ich habe bestimmt die Hoffnung, daß sie zu Hause eher gesund wird als in der Anstalt. Ich nehme den Versuch als mein Risiko, sollte der Zustand meiner Frau schlechter werden, bin ich zu jeder Zeit bereit, sie wieder in die Anstalt zurückzubringen. Bitte um sofortige Antwort.

Mit deutschem Gruß
P.S.
Enkheim / Kreis Hanau

Landesheilanstalt Hadamar
28.2.36

An Herrn P.S.
Enkheim / Kreis Hanau

Auf Ihr Schreiben vom 25. des Monats teilen wir Ihnen mit, daß die Erkrankung Ihrer Frau noch in vollem Maße besteht. Wir sind daher nicht in der Lage, ein Attest auszustellen, das besagt, daß Ihre Frau gesund ist und deswegen die Gemeingefährlichkeitserklärung aufgehoben wird. Bei Ihrem Besuch konnten Sie sich doch selbst ganz genau davon überzeugen, daß ihre Frau noch in keiner Weise geheilt ist, da sie ihre ganze Umgebung verkannte. Eine Entlassung Ihrer Frau nach Hause auf Ihre Verantwortung hin kann nicht erfolgen, was Sie auch bei einer Nachfrage beim Polizeipräsidium in Frankfurt erfahren können.

Der Direktor

Die Nacht war still, neben mir im Doppelzimmer hörte ich meine Mutter unruhig atmen, es war seltsam in diesen Tagen der Reise ständig in ihrer Nähe zu sein, nachdem wir uns sonst nur alle paar Monate einmal sahen und sie, wenn sie bei mir zu Besuch war, immer ein eigenes Zimmer zur Verfügung hatte. Ich war aufgewacht und hörte an Mutters unregelmäßigem Atem, daß sie nicht mehr schlief. Zuerst traute ich mich nicht, sie zu fragen, ob ihr nicht gut sei oder ob sie etwas brauche, so lag ich noch eine ganze Weile reglos da und dachte nach, ob ich sie nicht mit der Geschichte der Großmutter in Ruhe hätte lassen sollen, sie wollte über Jahre nichts Näheres wissen, warum sollte ich sie jetzt dieser Reise zurück in ihre Vergangenheit aussetzen? Es war mein ausdrücklicher Wunsch gewesen, sie mitzunehmen, nur sie, dachte ich, könnte mir helfen zu verstehen, was ich an Informationen in den Akten vorfinden würde, die sonst als bedeutungslose Ansammlung von Fakten das Papier füllen würden.

Am nächsten Morgen sollten wir Einblick in die Krankengeschichte bekommen, wir waren vom Chefarzt zu einem Termin mit Besichtigung der Klinik Merxhausen eingeladen worden, und wir wußten wenig über Großmutters letzte Lebensjahre, über ihren Zustand und woran sie tatsächlich gestorben war, nur die Aufenthaltsdaten in den Anstalten hatte ich bereits telephonisch bei der zuständigen Stelle des Landeswohlfahrtverbandes Hessen ausfindig gemacht. Wir hatten auf unserer Suche nach einer Übernachtungsmöglichkeit am Abend eine nicht enden wollende Irrfahrt durch die Gegend um Bad Wildungen hinter uns, die Gasthöfe und Pensionen, in denen wir auf der Strecke nach einem Zimmer gefragt hatten, waren teils düster oder heruntergekommen, man hatte sie in den Siebzigerjahren geschmacklos renoviert, die Stuben waren verraucht und trostlos, die Tische waren mit Plastiktüchern bedeckt, auf denen Kunstblumen standen. Vereinzelt saßen Gäste herum, einige standen an der Theke im Schankraum, so als würden sie auf etwas warten, das man ihnen schon vor Jahren angekündigt hatte, das aber nie eingetreten war und das auch nie eintreten würde, und sie wußten es bereits, waren aber nicht mehr fähig, etwas anderes zu tun, als die Zeit verstreichen zu lassen. Meist war ich diejenige, die wieder zur raschen Weiterfahrt drängte, Mutter war zu müde gewesen, um die Suche fortzusetzen, und so hatten wir uns kurz vor Mitternacht dazu entschlossen, in einem alten Kurhotel abzusteigen, das am Ende einer Kurpromenade lag, und uns mit seiner abbröckelnden Jugendstilfassade als einzig geeigneter Zufluchtsort erschien. Kurz vor der Morgendämmerung erwachte ich, durch die leicht geöffneten Fensterflügel drang ein diffuser Lichtschein vom Ort herauf, der am Fuß eines Hügels lag, das Geräusch eines vorbeifahrenden Autos in einer benachbarten Straße war zu hören, und das schwere, manchmal im Takt unterbrochene Atmen von Mutter, das ich aus meiner Kindheit kannte, signalisierte mir in der Dunkelheit, daß sie noch wach lag.

»Soll ich dir ein Glas Wasser holen?«
Ich war gerade dabei, aufzustehen und ins Bad zu gehen.
»Nein, verzeih, ich wollte dich nicht wecken.«
Einige Minuten fiel kein Wort.
»Ich habe von meiner Mutter geträumt, wie sie mir vorgesungen hat. Es war das Lied vom Abschied eines Seemanns, der auf einem Schiff angeheuert hat und auf große Fahrt geht, ihr Lieblingslied, und sie war jung, fast noch ein Mädchen.«
Mutter setzte sich auf und kramte etwas aus der Nachtkästchenlade, ohne das Licht einzuschalten. Ich konnte nichts erwidern, starrte auf den Spiegel, der an der gegenüberliegenden Wand hing und undeutlich die Konturen des Ölbildes am Kopfende des Bettes zurückwarf, ich war hellwach, und nach einer Weile sagte ich, sie solle doch versuchen, wieder zu schlafen, und betrachtete die Umrisse ihrer Hand, die auf der Überdecke lag und ein Taschentuch steif umklammert hielt.
»Nach dem Besuch in der Klinik sollten wir nach Enkheim fahren, ich möchte noch einmal dorthin, ich werde dir das Haus zeigen, wo wir gewohnt haben. Das letzte Mal, als wir dort waren, ist lange her, du warst noch nicht in der Schule damals. Wir besuchen auch Clara, ich habe sie vor unserer Abreise verständigt, daß wir diese Woche vorbeikommen.«
Ich war überrascht, von ihren Vorbereitungen zu hören, von denen sie mir nichts erzählt hatte, überrascht um so mehr, als ich geglaubt hatte, Mutter zu etwas bewegt zu

haben, das sie selbst nicht wollte und bei dem sie nur mir zuliebe mitmachte. Sie hatte eine Weile geschwiegen und ich versuchte in der Dunkelheit zu erkennen, ob sie eingeschlafen war. Als ich trotz angestrengtem Lauschen kein Atemgeräusch wahrnehmen konnte, schlich ich zu ihr und sah, daß sie mit zur Seite geneigtem Kopf ruhig eingenickt war. Ich zog ihr die zurückgeschlagene Decke über die Schultern und kroch wieder ins Bett.

Sandnes, Mai 98

»Zuerst hat ein Freund von mir in der Schule von den Treffen der Nationalen Partei erzählt und von Quisling, dem Redner, der alle in seinen Bann ziehen konnte. Wenn ich mich recht erinnere, sind wir damals gemeinsam in der letzten Bank gesessen, und ich wußte, daß er während der Schulstunden manchmal Mitschriften der Vorträge, die er gehört hatte, korrigierte, um sie anschließend zu vervielfachen und an seine Kameraden zu verteilen. Wir waren mit den Abschlußprüfungen im letzten Jahr beschäftigt, haben gemeinsam gelernt und manchmal Ausflüge und längere Wanderungen unternommen, auf denen er mir dann mit Begeisterung von der großen Bewegung, die Norwegen erneuern sollte, vorschwärmte.«
Far saß mit mir am Küchentisch, und wir hatten beide

die letzten Bissen des Fischauflaufes, den er für uns zubereitet hatte, gegessen. Der Abend ließ den Fleck Himmel, den man durch das Fenster sehen konnte, das in der Mitte durch das breite Band einer von Mor gehäkelten kleinen Gardine unterteilt war, in einem hellen Graublau erscheinen. Am Horizont war seit Minuten ein oranger Streifen aufgeflammt, die Dämmerung würde um diese Jahreszeit, es war Juni, noch lange auf sich warten lassen, was mich immer wieder erstaunt hatte bei meinen sommerlichen Aufenthalten in Norwegen. Das Licht und der Himmel bestimmten die Tage und den Ablauf des Lebens hier, mehr, als ich es anderswo kennengelernt hatte. An den langen Winterabenden verkrochen sich alle in ihre hell erleuchteten Häuser und verließen sie nur, um Nachbarn oder Bekannte zu besuchen. Es war nicht üblich gewesen, auszugehen, schon gar nicht am Land, und es gab damals auch keine Cafés oder Restaurants, in denen man sich sonst hätte verabreden können, und vor den wenigen Lokalen der nahen Stadt mußte man Schlange stehen, ehe man einen Tisch bekam. Das flackernde Nordlicht fiel mir ein, das ich vor zwanzig Jahren, vom Hügel oberhalb der Siedlung aus, gesehen hatte und das mich die halbe Nacht nicht schlafen ließ, aus Angst, ich könnte dieses Schauspiel nie mehr zu sehen bekommen. Ich sog den Anblick in mich auf, beeindruckt von den flirrenden Schleiern der Helligkeit, die mir jeden Moment am endlos scheinenden Himmel zu entgleiten drohten, um sich unwiderruflich in eine Finsternis aufzulösen, die, so glaubte ich, dann um so härter über alles hereinbrechen würde. Er bot mir eine Zigarette an und schob eine Schachtel mit Streichhölzern über den Tisch.

»Wir sind eines Nachmittags nach Stavanger gefahren und haben von dort die Fähre zu einer der kleinen Inseln genommen, die hinten im Fjord liegen, mein Freund war schon öfter bei den Zusammenkünften gewesen, die in der Scheune eines Bauern stattfanden, dessen Hof abgelegen vom Dorf stand.«

Far war an diesem Abend auffallend gesprächig. Nachdem wir uns kurz am Morgen gesehen hatten und ich in die Stadt aufgebrochen war, um frühere Schulfreunde von mir zu besuchen, hatte er sich sichtlich auf meine Rückkunft gefreut, denn der Tisch war bereits gedeckt und er saß, wie eine Katze auf dem Sprung, vorgebeugt in seinem Ohrensessel, um sofort die Zeitung aus der Hand zu legen, als ich ins Wohnzimmer trat. Ich wußte, er genoß es, daß ich die Tage bei ihm im Haus wohnte und nicht bei einer seiner Töchter, die mir angeboten hatten, bei ihnen zu übernachten. Er schien sich entschlossen zu haben, mir seine Geschichte ausführlicher zu erzählen, denn als wir am Anfang meines Aufenthaltes auf seine Parteizugehörigkeit zu sprechen gekommen waren, fühlte ich seine Zurückhaltung und Skepsis, so als hätte er vor meinem Urteil Angst. Er redete von der gehobenen Stimmung, die ihn damals erfaßt hatte, und wenn er die Versammlungen auf der Insel oder später die im eigenen Dorf schilderte, schien er in seinen Erinnerungen zu leben, als wären die Jahrzehnte seither nicht vergangen. Er erzählte, wie er die Leute, die gekommen waren eine Veranstaltung zu stören, unter ihnen ein paar junge Kommunisten, dazu gebracht hatte, aufzustehen und die norwegische Hymne zu singen, nur damit nicht alles in einer großen Schlägerei endete. Ich sah die Tränen in seinen Augen, und er versuchte sie vor mir zu verbergen, indem er sich umständlich die Nase schneuzte. Erst jetzt glaubte ich die Verzweiflung zu begreifen, mit der er seine Jugend von Neuem erzählte, so als wolle er für sich selbst herausfinden, was damals in ihm vorgegangen war.

»Heute läuft alles wie ein Film noch einmal vor mir ab, als ob ich Zuschauer meines eigenen Lebens wäre, sitze ich in der ersten Reihe und starre auf die Leinwand. Da sind manchmal verworrene Dinge zu sehen, die mich tagelang beschäftigen, weil mich nichts ablenkt, und dann fangen mich die Erinnerungen ein, und ich frage mich, ob nicht diese Zeit mein ganzes Leben festgelegt hat, alles, was ich nachher gemacht habe, und vor allem, was ich nachher nicht gemacht habe.«

Er räusperte sich, sog an seiner Zigarette, die er wie immer bis zum letzten möglichen Zug vor dem Filter rauchte, ehe die Hitze der Glut fast an seinen breiten Fingern zu spüren gewesen sein mußte. Diese Gewohnheit war mir schon früher aufgefallen, und er hatte sie mit den teuren Preisen für Tabakwaren vor Jahren erklärt. Ich mußte auch an seine Art des Zigarettenanzündens denken, stets mit vorgehaltener hohler Hand, auch in geschlossenen Räumen, wo weder Sturm noch Regen die Flamme wieder zum Erlöschen brachte – daran erkennt man die Seefahrer, sagte er dann immer, wenn er sich beobachtet fühlte, wobei er mich schelmisch anlächelte, und ich wußte, daß er auf sein altes Motorboot aus Holz anspielte, das in einem Hafen zwei Dörfer weiter vor Anker lag. Manchmal an den Sonntagmorgen fuhr er damit hinaus, wenn ruhiges Wetter herrschte, um Makrelen zu fangen oder Lachse, sobald sie an der Mündung des Baches in Schwärmen vor dem Aufstieg zu den Laichplätzen standen. Er hatte mich oft mitgenommen und entschloß sich immer rasch und unvorhersehbar dazu aufzubrechen. Meist ging er auf die Terrasse, reckte die Nase in die Luft und wandte sich mit einem – es ist gut heute, wir gehen –, an mich. Wenn ich mitfahren wollte, mußte ich in wenigen Minuten zur Abreise bereit sein. Ich hatte mich dann hastig im Windfang des Hintereinganges umgezogen, der immer gut geheizt war, damit die ständig nassen Gummistiefel und Regenjacken und das Ölzeug trocknen konnten, habe ihm dann beim letzten Sichten der Netze und Angelhaken geholfen, die in einer Abstellkammer neben der Garage deponiert waren, dort standen auch die verschließbaren Plastiktonnen und Kübel, die mir für unser Vorhaben etwas zu groß erschienen, aber es sollte uns doch manchmal gelingen, alle zu füllen. Wir tuckerten so weit hinaus vor die Küste, daß mir etwas mulmig zumute wurde, weil das Land zu einem schmalen Strich zusammenschmolz, den wir, wenn das Boot sich stärker hob und senkte, für Sekunden aus den Augen verloren, aber Far, von seinem Jagdfieber getrieben, kümmerte sich nicht um die Entfernung. Dann ließen wir die mit mehreren Angelhaken versehenen Schnüre ins schwarze Wasser hinab, mitten in einen Schwarm Makrelen hinein, um gleich darauf gegen ein Gezucke und Geziehe ankämpfen zu müssen, das immer mehr an Heftigkeit zunahm, bis es mir fast nicht mehr möglich war, dem Druck und der Last standzuhalten, und wir gemeinsam die Fische an Bord ziehen mußten, wo ich ihnen nach kurzem Zögern mit einem Schlag auf die Bootskante das Genick brach, erstaunt über meine mechanisch wiederholten Bewegungen, die ich wie in Trance immer schneller ausführte, nachdem der erste Ekel verflogen war.

An die Direktion der Landesheilanstalt Hadamar
10.4.36

Habe Ihr Schreiben vom 8. des Monats erhalten. Es ist sehr bedenklich, daß man einem Mann, der mehrere Jahre fürs Vaterland gekämpft und dabei seine Gesundheit eingebüßt hat und heute auf Hilfe angewiesen ist, die Ehefrau auf Monate einsperrt. Ich nehme doch an, daß meine Ehefrau keine Strafgefangene ist und auch kein Verbrechen begangen hat. Was hat meine Frau mit dem Erbgesundheitsgesetz zu tun, meine Frau bekommt keine Kinder mehr, das hat mir mein Hausarzt schon vor Jahren gesagt, also liegt gar kein Grund vor, meine Frau einzusperren. Ich werde mit meiner Ehefrau zu Hause fertig, und ich denke, wo ich Pflichten habe, da müssen mir auch Rechte zustehen. Wenn die Anstalt nicht meinem Wunsch entsprechen kann, werde ich mich an eine höhere Instanz wenden müssen, ich glaube, daß mir dort jemand, den ich kenne, helfen kann. Dieser Mann hat auch den Krieg so wie ich mitgemacht, und er wird ein Mitgefühl für einen Kriegskrüppel haben.

Mit deutschem Gruß
P. S.
Enkheim/Kreis Hanau

Landesheilanstalt Hadamar/Nassau
15.4.36

An Herrn P. S.

Wir haben unserem letzten Schreiben nichts hinzuzufügen. Ihre Frau ist weder eine Gefangene, noch hat sie ein Verbrechen begangen, auch ist die Anstalt ein Krankenhaus und kein Gefängnis. Ihre Frau ist aber gemeingefährlich geisteskrank und kann erst bei einer weitgehenden Besserung des Zustandes entlassen werden. Gegen eine Beschwerde bei einer höheren Instanz haben wir nichts einzuwenden, teilen Ihnen jedoch mit, daß dies zwecklos ist.

Der Direktor

Tonbandskript, Juli 98

Diese Krankheit muß bereits da gewesen sein, als ich in die Volksschule ging, nur erinnere ich mich nicht daran, wann sich Mutter zu verändern begann. Clara, meine Cousine, die im selben Haus gewohnt hatte, erzählte mir vor einer Woche am Telephon, daß Mutter, schon lange bevor sie in die Klinik kam, manchmal die Fenster mit Decken verhängte, daß sie laut geschrien hat und alle, die zu ihr wollten, von der Schlafzimmertür wegscheuchte, auch den Vater. Wir mußten schließlich bei den Eltern von Clara im Oberstock schlafen, bis sie nach ein paar Tagen wieder zur Vernunft kam und wie gewöhnlich den Haushalt versah, kochte, das Schulbrot bereitmachte und Vater wie immer freitags nach dem Markt von der Arbeit abholte. Sie hatte sich Brillen anfertigen lassen, weil sie Schatten sah, und erst durch Clara habe ich jetzt erfahren, daß sie nicht nur Schatten gesehen hat, sondern Menschen, mit denen sie gesprochen hat. Ob es diese Menschen wirklich gegeben hat, konnte niemand beurteilen, an einen Namen erinnere ich mich noch, Dr. Berg, ich glaube er war Arzt in dem Lazarett, in dem Mutter im Ersten Weltkrieg gearbeitet hat, soviel ich verstanden hatte, eine Jugendliebe von ihr, den hätte sie heiraten wollen und sonst niemand, hatte sie mir einmal erzählt. Ich habe meine Cousine angerufen, die ich auch schon seit Jahren nicht mehr gesehen habe und mit der ich bisher nie über Mutter geredet hatte. Überhaupt, niemand hat mehr über meine Mutter geredet, nachher, als der Krieg vorbei war. Clara hat mir auch von den vielen Streitereien und Eifersüchteleien der beiden Schwägerinnen, die im Haus gewohnt haben, erzählt und davon, daß meine Großmutter sie nie gut genug gefunden hatte als Schwiegertochter, sie kam nicht aus der Gegend, die Verwandtschaft aus dem Rheinland hatte sich nie vorgestellt, und sie brachte auch keine anständige Mitgift mit in die Ehe. Von alldem hatte ich nichts mitbekommen, für mich war meine Kindheit in der Erinnerung immer eine Idylle gewesen, solange Mutter noch bei uns gelebt hat. Mir war sie immer ganz normal erschienen, auch als wir sie in der Klinik besucht haben und sie mir gute Ratschläge und Kochrezepte mitgab. Mit den Briefen, die sie mir nach Hause schrieb, war sie trotzdem für mich da, ich bereue, daß es keinen einzigen mehr gibt, ich weiß nicht, wann das alles verlorengegangen ist, vielleicht waren die Briefe merkwürdig und verschroben, ich hab es nicht bemerkt, alles, was sie tat, war für mich liebevoll und voller Fürsorge, ich hatte eine sehr gute Mutter. Streng erzogen wurde ich schon, vor allem von Vater, aber ich hatte nie das Gefühl, ungerecht behandelt zu werden, selbst wenn er mich manchmal geschlagen hat. Wir Kinder vom Haus, in dem wir wohnten, waren ständig unterwegs, draußen im Ried war nichts zugebaut, nur Schilf gab es da und die Wasser dazwischen, den Obstgarten, dort, wo heute das Nachbarhaus und die Garagen stehen, und im Hinterhof lief Federvieh herum, es war eine kleine Welt. Einmal in der Woche nach dem Unterricht mußte ich das von Mutter genähte Lederzeug in einen Laden im Dorf bringen, so etwas wie eine Sammelstelle für Heimarbeit für die großen Fabriken in Offenbach, wo dann das Vorfabrizierte weiterverarbeitet wurde, Handtaschen und Lederkleinkram, nichts Anspruchsvolles. Eines Tages habe ich das erhaltene Geld und die neuen Lederteile auf dem Dorfplatz liegenlassen, vergessen im Spiel, als ich ohne alles zu Hause angelangt bin, hat es erst einmal vom Vater eine Tracht Prügel gegeben, obwohl sich Mutter schützend vor mich gestellt hat. Nachher ist er mit mir das Zeug suchen gegangen, wir haben es auch gefunden, ich denke, es hat ihm dann wohl leid getan, daß er mich zuerst geschlagen hat. Glücklicherweise hat nichts gefehlt von dem Geld, es war schon stockdunkel und niemand mehr da, man hätte alles stehlen können, das wäre nicht aufgefallen.

Als wir am Morgen aus unserem Zimmer in Bad Wildungen auszogen, konnte Mutter ihre Anspannung nicht verbergen. Sie redete kaum, ertrug nur mit Mühe mein gewohntes Zeitunglesen am Tisch und erkundigte sich dauernd nach der Uhrzeit, sie hatte ihre Armbanduhr im Gepäck vergraben, das bereits im Auto verstaut war. Den Traum von ihrer singenden Mutter, der sie in der Nacht nicht hatte schlafen lassen, erwähnte sie mit keinem Wort, und ich berichtete ihr von meiner Arbeit, um sie abzulenken, erzählte Anekdoten aus dem Alltag der Klinik und hatte bald den Eindruck, daß sie von alldem gar nichts hören wollte. Als wir endlich im Auto saßen, war sie ruhiger geworden und blickte die meiste Zeit aus dem Fenster, so als suche sie nach markanten Punkten, die sie wiedererkennen könnte, im Auf und Ab der Hügel beidseits der Straße. Es regnete die ganze Fahrt nach Merxhausen, über den Wäldern lagen tiefe Wolken, die noch Schnee verhießen, in ihren undurchdringlichen Grautönen, die sich über die flach gewellten Erhebungen, vom starken Wind getrieben, dahinschoben, um manchmal in einem kurzen Aufblitzen den Blick auf einen Flecken sonnenbestrahlter Wiese freizugeben, dazwischen schlängelte sich in langgezogenen Kurven das schwarze Band des Asphalts durch die Felder. Die Häuser der Klinik lagen für den Vorbeireisenden versteckt am Grund eines Taleinschnittes, und auf den ersten Blick würde man hinter den Eingangsgebäuden eine alte, am Bach gelegene Fabrik vermuten, mit den backsteinernen düster wirken-

den Fassaden. Wie wir später erfuhren, ging die Gründung der gesamten Anlage auf ein Kloster zurück, das in eine Pflegeanstalt umgewidmet worden war. Niemand war am Gelände zu sehen, es war Dienstag vormittag, ein ganz gewöhnlicher Arbeitstag, an dem man eher geschäftiges Treiben um einen so großen Betrieb erwartet hätte. Diese Ruhe kannte ich von vielen anderen psychiatrischen Kliniken, verlassen und still lagen die Grünflächen und die Wege zwischen den Parkabschnitten vor uns. Wenn man sich Zeit ließ und in diese Umgebung eintauchte, ohne sich von ihr abschrecken zu lassen, bewegte man sich mit Betreten eines solchen Areals in einem anderen Kosmos, in einer anderen Zeit, und obwohl nirgends mehr die festungsartigen Mauern von früher existierten, war es, als hätte man eine unsichtbare Linie in eine Sphäre überschritten, in der andere Gesetzmäßigkeiten galten, die man jedoch erst erfassen konnte, wenn man sich lange genug dieser Welt ausgesetzt hatte, geschrieben standen diese Regeln nirgends. Wir warteten, nachdem ich uns bei der Sekretärin des Chefarztes, die in einem winzigen Vorzimmer saß, angemeldet hatte, noch ein paar Minuten in einem weiträumigen hohen Gang, der von einem alten Gewölbe überspannt war, und betrachteten die unverputzten Steinwände, die sicherlich aus der Zeit des ehemaligen Klosters stammten und so gar nicht zu einer Klinik passen wollten.
»Ich bin nicht sicher, ob ich mich an diesen Ort erinnern kann.«

Mutter brach zum erstenmal seit der Abreise vom Hotel ihr Schweigen. Zu ihren Gedanken hatte ich an diesem Tag bisher keinen Zugang, war stumme Begleiterin geworden, so wie sie mich am Anfang der Reise begleitet hatte, inzwischen hatten wir unsere Positionen vertauscht, es war auch ihre Reise geworden, und sie würde jetzt den Weg auch alleine weitergehen, den ich eingeschlagen hatte. Ich sah die Veränderung in ihrem Gesicht, das einen harten Zug um die Mundwinkel zeigte, den ich nur selten vorher bei ihr wahrgenommen hatte. In die großen Mauerbögen waren Fenster eingelassen, die fast bis zum Boden reichten, das blasse Licht des verhangenen Märzvormittags tauchte den langen Flur in eine unwirkliche Dämmerung, draußen sah man einen auf drei Seiten von Gebäuden umgrenzten Garten, in der Mitte einen einzelnen Magnolienbaum, an dessen braunen, verdickten Enden der Äste die Blütenknospen bereits einen rötlich flaumigen Saum erkennen ließen, die beim ersten warmen Sonnenstrahl hervorbrechen würden. Wir wurden in das Büro des Chefarztes gebeten, der uns freundlich empfing und sich am Anfang des Gespräches vorwiegend Mutter zuwandte, und sie erzählte zu meinem Erstaunen von ihrer Angst, ihrer anfänglichen Skepsis und der Entschlossenheit, mit der sie jetzt wissen wollte, was man über ihre kranke Mutter noch herausfinden konnte. Sie erkundigte sich nach dem Friedhof, dem Grab, der Art, wie die Patienten hier zu Tode gekommen waren, und ich war überrascht über die

Direktheit, der das Zögern in der Zeit vor der Abreise gewichen war.
»Ich kann mir vorstellen, daß ich sie hier besucht habe, ich erinnere mich an längere Bahnreisen von Frankfurt aus und bin froh zu wissen, wo sie die letzten Jahre gelebt hat.«

Unten auf der Straße steht ein Ambulanzfahrzeug mit geöffneten Türen vor den schwach erleuchteten Schaufenstern der Buchhandlung, die Sanitäter warten neben der auf den Boden gestellten Trage, an der sie die Gurte bereits geöffnet haben, die Wolldecke ist zurückgeschlagen, alles ist bereit für den Abtransport. In einiger Entfernung, eilig am Platz weiter vorne geparkt, das Polizeiauto, das kreisende Blaulicht taucht die Straße in regelmäßigen Abständen in ein kaltes Licht, die beiden Beamten reden auf einen kleingewachsenen Mann ein, der mit offenem Hemd, eine Hand auf die Hausmauer gestützt, nach vorne gebeugt dasteht und schreit. Zwei Schritte entfernt, eine zarte Frau in einem Anzug, sie hat die Schultern angezogen, ihre Haltung ist verkrampft, neben ihr steht ein Arztkoffer am Boden. Vielleicht bin ich von dem nicht enden wollenden Gebrüll wach geworden, vielleicht vom Schlagen der Autotüren, ich weiß, daß ich schon vorher mit offenen Augen im Bett gelegen bin und zur Decke geschaut habe, um danach mit einem Buch in der Hand einzuschlafen. Der Mann torkelt schimpfend ein Stück die Straße entlang, vorbei am Ambulanzwagen, vorbei an den Polizisten, die ihm langsam folgen, ein paar Fetzen Italienisch kann ich im Stimmengewirr aufschnappen, Schimpfworte, dann den Zuruf der Frau mit dem Arztkoffer, er solle doch stehenbleiben und einsteigen, ein Betrunkener. Mir ist kalt, ich stehe noch immer am Fenster und will nicht ins Bett gehen, ich muß weiter zusehen, wie ein Mann zur Ordnung gebracht wird, was wird er angestellt haben, im Lokal vorne an der Straßenecke randaliert oder zu Hause Frau und Kinder geprügelt? Ich stehe am Fenster, und die Situation ist mir aus meinem Berufsalltag vertraut, man handelt, das Ziel vor Augen, man handelt, um das, was einmal begonnen wurde, weiterzuführen und zu Ende zu bringen. Die Autotür fällt endlich ins Schloß, dahinter sitzt ein Mensch in Handschellen, resigniert senkt er den Kopf oder zetert noch immer mit dem Pfleger, die Einweisung in die nächstgelegene Psychiatrische Klinik ist angeordnet, und erst wenn das Ambulanzfahrzeug in der nächtlichen Stille der Stadt losgefahren ist, werden sich die Schultern der Ärztin entspannen, dann wird sie tief durchatmen, sich vielleicht noch an die Hausmauer lehnen, eine Zigarette anzünden und sich mit den Polizisten unterhalten, obwohl sie lieber allein noch einmal darüber nachdenken würde, was eigentlich geschehen ist. Ich könnte ins warme Bett zurückkehren, könnte weiterlesen, einschlafen kann ich jetzt sicher nicht, ich habe zahlreiche Situationen im Kopf, mit mir als eine der handelnden Personen, ich denke an die körperliche Übelkeit, die ich nicht zu beschreiben vermag, sobald ich solche Szenen anderen näherzubringen versuche, dieser Krampf im Magen, das Brennen hinter dem Brustbein, das schon einsetzt, Minuten, nachdem ich jemanden, der nicht Herr seiner Sinne war, in eine Klinik zwangsweise eingewiesen habe, entsorgt, denke ich dann manchmal, an einen hermetischen Ort, wo er vor sich selbst geschützt ist und die anderen vor ihm. Wie soll ich das erklären, wenn diese Menschen mich ratlos ansehen und ich in ihren Blicken lesen kann, daß doch ich selbst mir diesen Beruf ausgesucht habe, daß dies notwendige Maßnahmen sind, vor denen jeder Angst hat, wenn er sich vorstellt, möglicherweise eines Tages selbst in eine solche Lage zu geraten, und eine Kette von bereits vorherbestimmten Entscheidungen würde ihn am Ende hinter den versperrten Türen einer Anstalt landen lassen, sobald unumkehrbar der erste Schritt getan ist? Wenn ich von meiner Übelkeit zu sprechen versuche, gehen meine Gegenüber ansatzlos zu einem anderen Thema über, und ich wünsche mir dann, nichts erzählt zu haben. Ich hole mir, in Gedanken versunken, meinen Morgenmantel aus dem Bad, sehe meine dunkel unterlaufenen müden Augen im Spiegel, wie ich sie oft mitten in der Nacht beim Blick in den Spiegel irgendeines Dienstzimmers gesehen habe, und bin froh, nicht unten auf der Straße zu stehen, in der Rolle der Ärztin, die versucht noch Schlimmeres zu verhindern. Ich gehe zum Fenster zurück und sehe, wie sich die schmale Gestalt im Anzug an die Wand lehnt und eine Zigarette anzündet, ihre Schultern sind entspannt. Ich setze mich an den Schreibtisch, schalte nach einer Weile das Licht ein und höre auf das Schlagen der Autotüren, das Blaulicht ist erloschen, alles ist still. Ich nehme das Bild von Großmutter von der Wand, lehne es an den Fuß der Schreibtischlampe und schalte das Tonbandgerät ein. Mutters weiche Stimme ertönt, ich höre die ersten zwei Sätze und drücke die Pausentaste, spreche die Sätze wie zu meiner Beruhigung laut nach und beginne zu notieren.

Der Oberpräsident
Verwaltung des Bezirksverbandes Nassau
11.5.36

An die Landesheilanstalt Hadamar
Betrifft: B.S., geborene S., aus Bergen Enkheim

Zwecks Überführung der Genannten in eine Anstalt des Landesfürsorgeverbandes Hessen in Kassel bitte ich alsbald ein ärztliches Gutachten über den derzeitigen Geisteszustand vorzulegen, das auch darüber Angaben enthält, ob eine Entlassung in absehbarer Zeit zu erwarten ist oder ob die S. auf unabsehbare Zeit der Anstaltspflege bedarf. Ferner ist anzugeben, ob die S. transportfähig ist und wieviel Pflegerinnen im Falle einer Überführung in eine Anstalt des Landesfürsorgeverbandes Kassel benötigt werden.

Ärztliche Bescheinigung
Hadamar den 14. Mai 1936

Die hier untergebrachte Patientin B. S., geborene S., 1896 am 26.3. zu Steele bei Essen, leidet an paranoider Schizophrenie. Sie bedarf noch auf unabsehbare Zeit der Anstaltspflege. Die Patientin ist reisefähig. Zu einer Überführung in eine Anstalt des Landesfürsorgeverbandes Kassel sind mindestens 2 Begleitpersonen erforderlich, da die Patientin sehr aggressiv werden kann.

Landesheilanstalt
Der Direktor

Ärztliche Bescheinigung
Hadamar 11. Mai 1936

Die Patientin B. S., geb. S., aus Frankfurt am Main, geb. am 26.3.96 in Essen, klagte über starke Zahnschmerzen, weshalb wir sie in zahnärztliche Behandlung gaben. Die Zahnbehandlung mußte durchgeführt werden, da bei der Kranken, die an Schizophrenie leidet, infolge der starken Schmerzen schwere Erregungszustände auftraten und die medizinische Behandlung der Patientin auf die Dauer viel teurer kommt als die Zahnbehandlung.

Landesheilanstalt
Anstaltsärztin

Der Oberpräsident
Verwaltung des Bezirksverbandes Nassau
15. Mai 1936

An die Landesheilanstalt Hadamar
Betrifft: B. S., geb. S., 26.3.1896

Auf das dortige Schreiben vom 11. des Monats teile ich mit, daß die Kosten für die Zahnbehandlung der Obengenannten in Höhe von 8,40 RM nachträglich genehmigt werden. Die Kosten bitte ich gemäß meiner Verfügung vom 24.2.36 beim Landesfürsorgeverband anzufordern.

im Auftrag
gez. Dr. M.

Direktor der Landesheilanstalt Marburg an der Lahn
den 27. Juni 1936

An die Landesheilanstalt Hadamar

Die dort befindliche Frau B. S., geb. S., soll zufolge Verfügung des Herrn Oberpräsidenten, Verwaltung des Bez. Verb. Hessen, in die hiesige Anstalt überführt werden. Wir teilen ergebenst mit, daß Frau S. am Freitag den 3. Juli 1936 vormittags dort abgeholt wird, wir bitten die Überführung vorzubereiten.

gez. Der Direktor

Aktenvermerk: 3. Juli 36 in Landesheilanstalt Marburg verlegt.

Sandnes, Mai 98

Am Morgen des Nationalfeiertages hatte ich Far gefragt, ob er nicht in den Ort mitkommen wolle, um den Umzug zu sehen, seine beiden Enkelkinder, die mit ihren Eltern in Festtagskleidern erschienen waren, würden sich darüber freuen. Zunächst hatte er mir ausweichend geantwortet, und als alle anderen zum Aufbruch bereit waren, schlief er bereits wieder auf dem Sofa in seinem

Büro. Mein Blick war beim Durchqueren des Wohnzimmers an der Wand mit den gesammelten Photos der Töchter des Hauses hängengeblieben, hier waren sie alle nebeneinander aufgereiht, abgebildet mit den Maturantenkappen schräg auf dem Kopf, rote und blaue Schildmützen aus Seide, wie sie hier zur Schulabschlußfeier üblich waren. An letzter Stelle hing mein eigenes Bild, ganz zuunterst in der Galerie. Es war für die Maturanten zur traditionellen Verpflichtung geworden, den Staatsfeiertag so verrückt wie möglich zu begehen, und ich erinnerte mich an unseren frühmorgendlichen Weg durch die Ortschaft, als unsere Klasse vor den Häusern der Lehrer ein grauenhaftes selbstgedichtetes Ständchen mit Katzenmusikbegleitung vorgetragen und anschließend im Schulhaus die Unterstufen mit lautem Geplärr beim Unterricht gestört hatte. Gegen Mittag verzogen wir uns dann erschöpft auf den Umzugswagen, der üblicherweise für die Schulabgänger bereitgestellt war. Manche in Kostümen, manche in Pyjamas, ich hatte mir von Vater einen Anzug geborgt und die Haare kurz geschoren. Es war ein ungleicher und ausgelassener Haufen, der zur Freude der versammelten Gemeinde und Verwandtschaft am Ende der Prozession durch den Ort gekarrt wurde. Die Jüngste der Töchter, die gleichzeitig mit mir ins Gymnasium gegangen war, kam von der Terrasse herein, wo sie nach ihren beiden Kindern gerufen hatte, die noch im Garten spielten, und stellte sich neben mich, den Blick auf die Photos gerichtet.

»Seit ich denken kann, ist er noch nie mitgekommen, er findet solche Umzüge abscheulich. Früher hat er sich auf sein Boot geflüchtet, nur um der Frage zu entgehen, die wir ihm jedes Jahr neu gestellt haben. Wie du siehst, löst er das Problem heute anders.«
Sie packte eine Schokolade in die Tasche ihrer siebenjährigen Tochter, die, atemlos nach dem Herumtollen, eine hellblaue Jacke überstreifte. Ich glaubte einen Anflug von Resignation und Ärger über Far in der Stimme zu hören, der Ton war schärfer, als ich ihn von ihr erwartet hatte.
»Das hätte ich dir auch vorher sagen können, daß er zu Hause bleibt. Ich war neugierig, wie er auf deine Bitte reagieren würde. Um ganz ehrlich zu sein, fand ich seine Versteckspielerei immer übertrieben, er hat sich damit entschuldigt, daß ihn die anderen an diesem Tag nicht dabeihaben wollten, aber ich glaube, daß bald niemand mehr etwas dagegen gehabt hätte, wenn er einfach im Anzug und mit Fahnenschleife am Revers im Ort aufgetaucht wäre, als gehörte er dazu. Manchmal glaube ich, seine Außenseiterrolle war ihm ganz recht, aber er soll es dir selbst erzählen. Ich habe nie viel von ihm erfahren, er redete nicht gern darüber.«
Wir verließen gemeinsam das Haus in Richtung Marktplatz, und sie sagte, sie habe erst mit Dreißig erfahren, ihre Eltern seien im Krieg nicht im Widerstand gewesen, sie hatte es bis dahin einfach angenommen, und danach schien es ihr seltsam, daß sie als Kind in der Schule von

ihren Mitschülern oder bei ihnen zu Hause nichts davon mitbekommen hatte. Man hatte oft genug während des Unterrichts über dieses Thema gesprochen. Später am Nachmittag saß ich mit Far bei einer Tasse Kaffee auf der Veranda. Durch die im Frühling noch blattlose Gartenhecke sah man kleinere Menschengruppen nach Hause schlendern, sie kamen vom Umzug und hatten sich die Reden vor dem Rathaus angehört. Viele der Frauen trugen die lange schwarze, mit Blumenmustern bestickte Tracht der Gegend, man hörte ein leises Klirren und Klimpern von Silbergürteln und Schnallen bis zu uns herüber, die Männer hatten dunkle Anzüge an, die Kinder schwenkten Wimpel und Fähnchen mit dem Banner des Landes in der Hand.

»Du mußt entschuldigen«, an seiner heiseren Stimme war zu erkennen, wieviel er geraucht und getrunken hatte, »ich bin nie mitgegangen, schon als die Mädchen noch klein waren, habe ich es vorgezogen, mich da herauszuhalten. Nach 45 war ich zwei Jahre im Straflager, zuerst in der Gegend hier, dann in der Telemark, wir haben den Bauern geholfen, Bäume gefällt, die Felder bestellt, tagaus, tagein. Wir waren zuerst in einer Baracke gegenüber dem Flughafen von Stavanger untergebracht. Das Gelände samt Einrichtung hatte man von den Deutschen übernommen, vor uns waren die Gefangenen Widerstandskämpfer gewesen, und dann kamen wir, die Kollaborateure. Die Bedingungen im Lager waren gut, man hat uns nicht hungern lassen, und wir waren ständig im

Freien. So braungebrannt und kräftig wie damals war ich nachher nie mehr.«
Er und seine Mitgefangenen wären von den Bauern gut behandelt worden, hatten sogar öfter Extrarationen an Nahrungsmitteln erhalten, wenn sie gute Arbeit geleistet hatten, und manchmal wären sie auch auf eine Runde Schnaps eingeladen worden. Die eigentliche Strafe war erst später gekommen, schleichend, als er nach zwei Jahren Technikerschule in Oslo wieder in diese Kleinstadt zurückgekehrt war. In einer langsamen Bewegung nahm er immer wieder die Kaffeetasse zum Mund, ohne einen Schluck daraus zu trinken. Er sprach von der Anklage, die gegen ihn erhoben worden war, weil er angeblich seinen Nachbarn an die Deutschen verraten hätte. Während der Gerichtsverhandlung, die man ein halbes Jahr nach Kriegsende gegen ihn eröffnete, konnte der wichtigste Zeuge nicht mehr für ihn aussagen, da er sich zuvor das Leben genommen hatte, man erzählte, wegen irgendwelcher Bestechungsgeschichten, er hatte im Finanzamt gearbeitet. Andere Parteimitglieder hatten sich sehr schnell, nachdem sich die Lage im Land wieder einigermaßen beruhigt hatte, ein neues Leben aufbauen können, während er nur mit Mühe in Gang gekommen war.
»Besser wäre ich in Oslo geblieben, um dort von vorne anzufangen. Man hätte mir in der Stadt weniger Steine in den Weg gelegt, selbst wenn meine Vergangenheit dort bekannt geworden wäre. Damals dachte ich noch, ich

könnte von neuem anfangen, mir würden die gleichen Möglichkeiten eingeräumt werden wie allen anderen auch, wenn ich nur hart genug arbeitete. Jedem im Ort würde ich damit doch zeigen, daß auf mich Verlaß ist.«

Er begann sich immer mehr in Rage zu reden, und es war für mich ungewohnt, ihn derart außer sich zu sehen. Seine Hand zitterte, als er die Tasse wieder zurück auf den Tisch stellte, und ich wußte nicht, ob es vom Alkohol kam oder von der Enttäuschung, die sich über die Jahre in ihm aufgestaut hatte. Die geschlängelte Ader an seiner Schläfe, die mir schon früher aufgefallen war, quoll beim Reden stärker hervor, er hatte sich über den Tisch nach vorne gebeugt, als wollte er nicht, daß jemand anderer mithören konnte, und preßte die Sätze förmlich mit Nachdruck hervor.

»Einige waren in der Tat mutig, sie haben kleine Militäreinheiten in den Wäldern aufgebaut und ausgebildet und haben Kontakt mit England und der Exilregierung gehalten. Besonders die Lehrer haben sich tapfer geschlagen und verhindert, daß das nazistische Gedankengut sich in den Schulen verbreitet, viele sind dafür in Arbeitslager gesteckt worden. Vor ihnen habe ich großen Respekt. Aber die am Kriegsende am lautesten geschrien haben, sind meistens diejenigen gewesen, die am wenigsten riskiert haben.«

Der Chefarzt geleitete uns in die Bibliothek, einen holzgetäfelten Raum, an dessen Wänden alte Glasvitrinen den Blick auf unzählige Bände von medizinischen Nachschlagewerken freigaben. Die Bücher wirkten angealtert, verstaubt und unbenützt, peinlich genau geordnet, alles erinnerte mich an die muffige Abgestandenheit eines Gebetshauses am Land. Wir wurden eingeladen, an einem langen, dunkelbraunen Tisch Platz zu nehmen, der in der Mitte des Raumes stand, auf ihm lag eine graue, abgeschabte Mappe vorbereitet, das ganze Zimmer war erfüllt vom Geruch nach altem Papier.

»Es kommen nicht oft Angehörige hierher, aber in den letzten Jahren doch immer wieder. Vor fünfzehn Jahren hätten sie sicherlich mehr Schwierigkeiten gehabt, an diese Originalakten zu gelangen. In der Psychiatrie hat sich einiges getan, seit die alte Generation von Ärzten und Pflegern langsam aus den Kliniken verschwindet. Sie waren zum Teil beteiligt an den Selektionen und Tötungen, hatten in einem System gearbeitet, das die Euthanasie von Kranken und Behinderten als normal ansah, ja sogar als Pflicht betrachtete, und nach dem Krieg konnte man diese Leute nicht einfach entlassen. Ob schuldig oder nicht, sie wünschten nicht Zutritt zu gewähren.«

Er ging zu einem in der Ecke stehenden Schreibtisch, um von dort einige Blätter zu holen und sie uns zu übergeben, die Niederschrift seines Vortrages über die Euthanasie im Dritten Reich. Er war groß gewachsen, hager, ein Mann in den Fünfzigern. Er erzählte von den Zuständen in der Klinik während des Krieges, von der Überbelegung der Krankensäle, in denen nicht einmal mehr ordentliche Betten zur Verfügung gestanden hätten, über die Krankheitsepedemien, während der die völlig unterernährten Insassen in großer Zahl gestorben waren. Wir hatten gemeinsam am oberen Ende des Tisches Platz genommen, und es schien, als wollte er uns nicht völlig unvorbereitet dem Studium von Großmutters Krankengeschichte überlassen und berichtete deshalb, in Merxhausen sei nicht planmäßig getötet worden, wie in Hadamar, ein Krankenhaus, das man als Vernichtungsklinik eingerichtet hatte. Man habe die Leute von anderen Anstalten hierhergebracht und zusammengepfercht, weil die Gebäude dort für das Heer gebraucht wurden als Lazarette oder Kasernen. Er erwähnte das offizielle Ende der Euthanasie im Jahre 41, weil sich bei den Ämtern und in den Kliniken Nachfragen nach dem Verbleib der Angehörigen häuften und auch kirchliche Kreise begonnen hatten, sich für die Zustände zu interessieren. Aber allem zum Trotz sei das Sterben in den meisten Anstalten unbeobachtet weitergegangen, teils hätten die überall herrschenden erbärmlichen Bedingungen im Verlauf des Krieges dazu beigetragen und mancherorts sei auch ganz bewußt weitergetötet worden. Ich sah seinen unsicheren Blick auf Mutter ruhen, und wie um die Schwere der beschriebenen Umstände etwas zu mildern, berichtete er noch von den Anstrengungen, die er und seine Ärzte in den letzten Jahren unternommen hatten, um die Öffentlichkeit darüber zu informieren, was die Aufarbeitungen alten Aktenmaterials zutage gebracht hatten. Er räusperte sich und ging zur Tür, es schien, als habe er sich selbst dabei ertappt, eine förmlichere Haltung eingenommen zu haben, als ihm selbst lieb war und die in dieser Situation etwas deplatziert wirkte. Er nahm das Papierbündel vom Tisch und reichte es mit einer fast verlegen wirkenden Geste meiner Mutter.

»Ich lasse Sie jetzt eine Weile mit den Dokumenten allein, wenn Sie Fragen haben, melden Sie sich bitte.«

Nachdem er und seine Sekretärin den Raum verlassen hatten, saßen wir zuerst still vor der Mappe mit der Akte, bis meine Mutter sie mir zögernd zuschob und mich bat, sie zu öffnen.

»Ich muß erst meine Lesebrille suchen, bitte fang an und lies mir vor.«

Für mich war es nichts Ungewöhnliches, ein solches Dokument in Händen zu halten, unzählige Male hatte ich bücherdicke Krankengeschichten gesichtet, wenn es darum ging, einen Patienten kennenzulernen, der nach Anmeldung durch den Notarzt ein weiteres Mal in die Klinik aufgenommen werden sollte, in der er seit Jahren immer wieder behandelt worden war. Nicht selten sah ich Akten von Menschen die bereits vierzig oder fünfzig Jahre in einem der Pflegeheime und psychiatrischen Einrichtungen gelebt hatten, in denen man sie verwahrt hatte, weil sie sonderbar waren. Manche hatten nicht einmal gegen irgendein Gesetz verstoßen, aber gegen die Alltagsregeln, man konnte sie nicht ins Gefängnis sperren, aber sie hatten in ihrer Familie gestört oder im Dorf, und so waren sie meist in kirchlichen Einrichtungen aufgenommen worden und dort verschwunden. Ich hatte mir angewöhnt, die letzten Seiten aufzuschlagen, vom Ende her zu lesen, auf diese Weise konnte ich mir schneller einen ersten Eindruck verschaffen, und als ich auch jetzt damit begann, bemerkte ich auf einmal den erstaunten Blick meiner Mutter.

»Entschuldige, aber ich will zuerst wissen, wann sie wirklich gestorben ist und woran.«

Mir fiel die Fieberkurve in die Hände, ein minutiös geführtes Blatt, sie brach 1941 ab, im Juli. Einem Schreiben an die Verwaltung war zu entnehmen, daß Großmutter am 25. Juli 41 in die Klinik Merxhausen aufgenommen wurde, diese Papiere stammten noch aus der Zeit des Aufenthaltes in Marburg, später wurden keine Aufzeichnungen des Blutdrucks und der Temperatur mehr geführt, aus welchem Grund auch immer, aber es fanden sich noch vereinzelte Notizen aus den letzten beiden Jahren ihres Lebens mit immer gleichlautenden Eintragungen, die das Monotone und Karge des Anstaltsalltags festhielten. Die Korrespondenz war erhalten, unter anderem ein Gutachten, ein Gerichtsurteil, die Sterbeurkunde vom 8.5.43, das Antworttelegramm von Mutter mit der Zustimmung zur Beisetzung der Urne auf dem Friedhof in Merxhausen und einige Bittgesuche von Großvater um Entlassung seiner Frau, teils von ihm selbst geschrieben, teils von Mutter in seinem Namen, mit denselben Zügen, die ihre Handschrift noch immer trug, die Buchstaben etwas breiter damals, mit einer deutlichen Neigung nach links, die sie dann im Laufe der Jahre verloren hatten. Mutter nahm die Unterlagen in die Hand und blätterte eine Weile darin, ihr Blick verweilte auf den eingehefteten Briefen.

»Wir haben ja doch versucht sie herauszuholen.«

Mutter sah mich über den Brillenrand hinweg an und las ein paar der von ihr geschriebenen Zeilen vor, die mit Großvaters Namen unterschrieben waren. Danach verstummte sie und schlug ganz zu Anfang der Akte das Protokoll der Polizeihauptwache in Frankfurt auf, das sie aufmerksam studierte.

»Es ist verrückt, sie hat sich selbst eingewiesen und hat ihre Einweisung beschrieben, bevor sie in die Klinik kam, und gewußt, daß sie dort auch nicht mehr herauskommen würde.«

Hinter uns wurde die Tür zur Bibliothek geöffnet und die Sekretärin bat uns mit leiser Stimme, so als bemerkte sie genau, daß sie uns gerade jetzt nicht unterbrechen sollte, den Raum zu verlassen, in der nächsten Viertelstunde würde hier der tägliche Rapport beginnen. Wenn wir wollten, könnten wir über Mittag ihr Büro benützen, sie wäre ohnehin zum Essen in der Kantine.

Wir haben zwei Tage später die Klinik noch einmal besucht, um unter der Führung einer der Ärztinnen das Areal und die verschiedenen Patientenhäuser zu besichtigen. Den Friedhof hatten wir noch am selben Tag besucht, ein kleiner Wiesenhain, der von einer niedrigen Mauer eingefaßt war und schräg oberhalb der Gebäude lag. Unzählige einfache Grabsteine und Kreuze fanden sich dort, die alle nach 1945 gesetzt waren, lediglich ein großes steinernes Gedenkkreuz sollte an die während des Krieges umgekommenen Patienten erinnern. Das Gebäude, in dem Großmutter ihre letzten Jahre zugebracht hatte, war nach Auskunft der Ärztin wegen Baufälligkeit vor einiger Zeit abgerissen worden.

Tonbandskript, Juli 98

Ich besuchte die Handelsschule, und wir hatten eigentlich kein Geld dafür, weil Vater mit seiner Rente und seiner eingeschränkten Arbeitskraft wenig verdiente. Mutter war mit mir zur Baronin gegangen, deren Familie die Fabrik gehörte, und man hatte uns am Hintereingang der Villa warten lassen, am Dienstboteneingang, denn vorne an der Auffahrt verkehrten die Besucher von Rang und Namen, kamen in ihren Limousinen. Wir hatten eintreten dürfen, sind am Gang kurz gehört worden und dann durch das Hausmädchen wieder schnell und freundlich zur Tür hinauskomplimentiert worden, wir würden dann hören, ob es möglich sei, für das Fräulein Tochter etwas zu unternehmen. Ich weiß noch, wie mich die Frau des Hauses angeschaut hat, von oben bis unten, und ich bin mir klein vorgekommen in diesem riesigen Treppenhaus, ein graues Kleid mit weißem Spitzenkragen habe ich getragen, Mutter hatte gesagt, ich solle nicht zu fein aussehen, wenn wir dorthin gehen. Der Vater hätte es verboten, bei der Baronin vorzusprechen, Mutter hat es aber dennoch getan und ihm nichts davon erzählt. Wir brauchen nichts von denen, hätte er bestimmt gesagt, unsere Familie kommt selber weiter, durch ihrer eigenen Hände Arbeit. Soviel ich weiß, haben wir auch von der Baronin kein Geld bekommen, aber meine Eltern sparten, so gut es ging, und vielleicht hat auch die Urgroßmutter noch etwas gegeben, und an einem Spätsommertag ging Mutter mit mir zur Schuldirektion, um mich anzumelden.

Ich als Vorstadtmädchen war stolz, dort hingehen zu dürfen, in das bessere Viertel auf der anderen Seite des Mains, das war Anfang der Dreißigerjahre, als die Nazis an die Macht kamen, und ich hab miterlebt, wie eine Mitschülerin aus gutem Haus eines Tages nicht mehr kam, man munkelte, die Familie sei ausgewandert, mehr hatten wir nicht erfahren, uns nicht getraut zu fragen, obwohl ich dieses Mädchen gerne gemocht hatte, man war damals nicht einfach neugierig, das war anders zu dieser Zeit, vor allem bei diesen Standesunterschieden. Warum ich mir eingebildet habe, Mutter sei von Beruf Krankenschwester gewesen, kann ich nicht mehr sagen, wahrscheinlich, weil sie vom Lazarett im Rheinland erzählte, wo sie meinen Vater das erste Mal getroffen hatte. Er war verletzt eingeliefert worden, ein Wirbelsäulendurchschuß, bei einer Schlacht an der Westfront, im ersten Krieg, und später ist er mit dem Eisernen Kreuz ausgezeichnet worden, worauf er und Mutter immer stolz waren. Für mich war es der größte Wunsch gewesen, Krankenschwester zu werden, aber zuerst kam der Arbeitsdienst in der Fabrik, dann der Krieg, die Heirat, und dann habe ich auf die Rückkunft meines Mannes aus der Gefangenschaft gewartet, später der Umzug nach Österreich, was hätte ich machen sollen, vor allem als ihr noch Kinder gewesen seid? Wir sind manchmal nach Frankfurt gefahren, als der erste Sohn geboren war, auch nach der Geburt des Zweiten, aber heimisch gefühlt habe ich mich dort nicht mehr, ich habe weder da noch dort dazugehört, und zurück konnte ich ohnehin nicht. Ich hätte bei den Besuchen in Deutschland die Möglichkeit gehabt, mehr über den frühen Tod meiner Mutter zu erfahren, aber ich bin, glaube ich, nicht einmal auf den Gedanken gekommen, niemand hat nach den Toten gesucht, es gab einige, die noch auf die Rückkehr ihrer Männer aus Rußland hofften, aber es gab niemanden, den ich kannte, der nach den Toten im eigenen Land fragte, oder gar nach denen, die in einer Anstalt gestorben waren, so was kam vor, zu viele waren unter schlimmeren Umständen krepiert. Auch Großvater unternahm nichts, er hatte sich das Leben neu eingerichtet, lebte mit unserer Haushälterin zusammen und war immer wieder krank. Ich glaube nicht, daß wir noch über Mutter gesprochen haben, schon gar nicht, wenn jemand anwesend war, der nicht zur Familie gehörte, mein Mann hatte sie nicht gekannt, und Großvaters neue Frau auch nicht, und von ihren Geschwistern aus dem Rheinland hat sich niemand mehr nach ihr erkundigt. Doch, ein Schwager hat uns nach Kriegsende besucht, hat auch nach Mutter gefragt, aber ich hatte den Eindruck, es interessierte ihn gar nicht, daß sie nicht mehr da war, eigentlich suchte er nach Verbindungen zu den Besatzern, um alte Jeeps für sein Transportunternehmen zu kaufen, aber wir konnten ihm dabei nicht helfen, wir hatten keine Beziehungen. Damals, als das angefangen haben muß mit Mutters Verrücktheit, hat sie Säuglingswäsche gestrickt und mir erzählt, es würde bald ein Geschwisterchen auf die Welt kommen. Ich dachte mir nichts dabei, begann mich mit dem Gedanken anzufreunden, bis Vater eines Tages erklärte, Mutter sei krank, sie bilde sich das alles nur ein, der Arzt habe gemeint, man solle sie in dem Glauben lassen, das würde sich schon legen, Frauen hätten manchmal eigenartige Ideen in den Wechseljahren.

Krankengeschichte Landesheilanstalt Marburg an der Lahn

7.7.37
Sieht gesund aus, ist sauber, hält sich ordentlich, lebt aber sehr zurückgezogen. Ihre Reizbarkeit und Neigung zu explosivem Aufbrausen besteht weiterhin fort, wenn man sie nicht in Ruhe läßt und sie nicht äußerst vorsichtig behandelt. Mit den Angehörigen hat sie keinen Kontakt.

24.10.37
Gibt an, sie sei mit dem Teufel verwandt, man kann sie nicht von der Idee abbringen, die Patientin ist zu allen abweisend.

18.12.37
Sitzt meist abseits von den anderen Kranken und hält sich die Ohren zu, arbeitet zeitweise etwas beim Klammernpacken, steht aber oft plötzlich von ihrem Platz auf, singt und entfernt sich von der Gruppe. Ist viel für sich allein und weigert sich dann zu arbeiten. Redet von einem Umstellformat und von anderen zusammenhanglosen Dingen.

14.1.38
Sondert sich oft ab, hält sich die Augen zu, fängt mitten in der Nacht laut zu singen an, schläft später dann erschöpft ein.

2.5.38

In der letzten Zeit sehr verstimmt, hört ständig Stimmen, phantasiert, hat auch taktile Halluzinationen in der Nacht, die sie sehr beeinträchtigen, hat ihre Nachbarin deshalb tätlich angegriffen. Fügt sich in keine tägliche Ordnung, droht sofort und wird ärgerlich, wenn sie angesprochen wird, spricht mit sich selbst.

10.7.38

Hilft beim Staniolsortieren, im ganzen ruhiger, beschäftigt sich auch mit Nähen, steht im Verdacht, die Namen und Nummern anderer Patienten aus der Wäsche zu trennen, insgesamt sehr autistisch.

3.6.39

Frau S. ist zur Zeit freundlich und hilfsbereit, dies wechselt jedoch in den letzten Wochen oft. Schläft gut und ohne Mittel, schwitzt viel. Menstruation in den letzten Monaten sehr unregelmäßig, sonst körperlich ganz gesund.

29.9.40

Nimmt in der letzten Zeit an Gewicht ab, ist nicht gut führbar, spricht immer leise vor sich hin, hat einen kalten Blick, ist angespannt, lauernd, katzenhaft sprungbereit.

2.11.40

Greift plötzlich am Morgen ohne Grund die Nachtwache an, ißt seit zwei Tagen nichts, wird isoliert.

1.3.41
Lungendurchleuchtung o.B., Patientin behauptet, alle außer ihr seien hypnotisiert, auch das Pflegepersonal. Ist wegen ihrer Unberechenbarkeit in der letzten Zeit dauernd im Wachsaal. Tagelang schimpft sie laut und gereizt auf das Schlechte in den Menschen, sie bedroht das Personal, doch nimmt sie ihre Arbeit immer wieder auf, die sie dann sauber verrichtet. Bekommt zu niemandem Kontakt, auch wenn sie sich manchmal mit den anderen im Garten aufhält.

22.4.41
Sie hilft, im Saal Hausarbeit zu machen, arbeitet gut und gewissenhaft, läßt sich aber nichts sagen. Ißt zeitweise sehr schlecht, verkennt immer wieder Personen, lacht, wenn man ihr die richtigen Namen sagt, halluziniert viel vor sich hin, hört ständig Stimmen.

25.7.41
Klagt über Zahnschmerzen, hat eine geschwollene Wange, sträubte sich aber aus wahnhaften Gründen gegen Untersuchung und Behandlung. Wurde sehr gereizt und drohte, wünschte der Ärztin tausend Kinder. Konnte nicht zum Zahnarzt gebracht werden. Sonst unveränderter Zustand. Verlegt nach Merxhausen.

Sandnes, Mai 98

Die Sonne des späten Vormittags tauchte die Küstenstraße in eine gleißende Helligkeit, Far und ich waren mit dem Auto Richtung Süden unterwegs, ich hatte ihn dazu überreden können, zu dem kleinen Hafen zu fahren, in dem er früher sein Fischerboot vor Anker liegen gehabt hatte. Die nahen Sanddünen gaben immer wieder den Blick auf das aufgewühlte graublaue Meer frei, dessen Schaumkronen sich im funkelnden Sandstrand verliefen, und während ich immer wieder meinen Blick von der Fahrbahn auf das offene Meer hinausgleiten ließ, erzählte er mir, daß er sein Boot vor einigen Jahren schweren Herzens verkauft hatte, weil ihm die Wartung zu mühsam geworden war, auch glaubte ich zu wissen, daß er sich zuletzt nicht mehr allein hinausgetraut hatte. Als ich nach dem Frühstück zum Aufbruch drängte, um das schöne Wetter für die Fahrt ans Meer zu nützen, überließ er mir bereitwillig das Steuer, denn er war in der letzten Zeit nur mehr selten gefahren und fühlte sich unsicher, wie er mir gestand, vor allem hatte er sich nie an den neuen Wagen gewöhnt, eine dunkelblaue Ford Limousine, die ich nicht mit dem Bild in Einklang bringen konnte, das ich noch von meinem ersten Aufenthalt hier während der Schulzeit im Kopf hatte, als ich ihn vom Küchenfenster aus, jeden Tag um die Mittagszeit, pünktlich zum Essen, aus seinem olivgrünen Kombi steigen sah, wobei er kurz einen Blick heraufwarf, um zu sehen, ob die Familie schon bei Tisch saß und auf ihn wartete.

»Wann hast du denn das alte Ding verschrottet? Ich bin damals immer sehr gerne mit dir gefahren, und ich mochte die Unordnung und das überall im Kofferraum herumliegende Werkzeug.«

Ein Lächeln zog sich über sein Gesicht, und er schien besser gelaunt als in den letzten Tagen, saß entspannt neben mir und rückte seine graue Kappe mit der rechten Hand an seinem Kopf zurecht, die seine schlohweißen und noch immer sehr dichten Haare verdeckte.

»Ja, der alte Karren. Er war nach dem Hausbau die erste größere Anschaffung. Ich habe damals nicht gespart, einmal, weil wir zu siebt in keinem anderen Auto Platz gehabt hätten, und außerdem brauchte ich ihn für die Werkstatt.«

Er erzählte mir, wie er sich lange überlegt hatte, ob er sich ein derart luxuriöses Gefährt leisten konnte, nicht nur wegen des Preises, sondern auch weil man ihm unmißverständlich zu verstehen gegeben hatte, daß er sich bescheiden verhalten sollte nach seinen Verirrungen im Krieg.

Als die Erdölfelder in der Nordsee entdeckten wurden und die Wirtschaft richtig in Schwung kam, hätte er Gelegenheit gehabt die Werkstatt zu erweitern. Überall wurden neue Häuser gebaut, und es wäre für ihn genug zu tun gewesen.

»Ich hätte mehr als zehn Leute beschäftigen können. Kurz war ich versucht, mich nicht mehr um die anderen zu kümmern, aber ich weiß, ich hätte es bitter bezahlt, wenn nicht sofort, dann später.«

Ich hatte den Wagen an der schmalen Schotterstraße neben der kleinen Hafenmole geparkt, und als wir ausstiegen, blies uns ein kräftiger kühler Wind ins Gesicht, der Far die Kappe davonzutragen drohte. Ich mußte an die Wettermeldungen für die Seefahrt im Radio denken, die ich hier beim Frühstück, bevor wir zur Schule aufgebrochen waren, immer gehört hatte. Sie hatten sich mit ihren für mich damals ungewohnten Begriffen in meinem Kopf festgesetzt, das hier würde wohl einer steifen Brise aus Südsüdwest entsprechen, und ich fragte ihn, ob ich recht hatte. Er mußte lachen und kam zu mir herüber, um mir die Hand auf die Schulter zu legen.

»Damals, als ich von der Schüleraustauschorganisation verständigt wurde, ist mir der Schreck in die Knochen gefahren, weil ich wußte, im Ort würden sie das falsch auslegen, als hätte ich mir ausgesucht, daß es ein Mädchen mit deutscher Muttersprache war. Aber meine Sorgen waren unbegründet, du hast schnell gelernt und innerhalb kurzer Zeit dazugehört. Ich wollte dir von meinen Bedenken damals nichts erzählen, es hätte dir nur alles verdorben.«

Die Boote in dem kleinen Hafenbecken schaukelten heftig an ihren Haltetauen auf und ab, das Meer war zu unruhig, um an diesem Tag hinauszufahren, und in dem Moment, als ich zu Far hinüberblickte, wußte ich, daß ihm der gleiche Gedanke durch den Kopf ging. Wir schlenderten auf der Mole bis zu dem kleinen Leuchtfeuer, das die Einfahrt des Hafens markierte und ließen uns im feinen Regen der Gischt, die von dem an der Mauer emporschnalzenden Wasser immer wieder zu uns herüberrieselte, auf einer Rolle nach Seetang riechenden Ankertaus nieder und blickten eine Weile auf das im Gegenlicht silbergrau schillernde Wasser hinaus.

»Du warst unser dritter Gast aus dem Ausland. Du hast die Photos deiner Vorgängerinnen gesehen, alles sehr nette Mädchen. Wir haben es als selbstverständlich betrachtet, euch bei uns aufzunehmen, nachdem unsere Zweitälteste ein gutes Jahr bei einer Familie in Amerika verbracht hatte, und vielleicht habe ich uns auch deshalb als Gastfamilie gemeldet, um allen zu zeigen, daß ich kein schlechter Mensch bin.«

Er holte ein Päckchen Rothmans aus der Brusttasche seiner grünen Regenjacke, zündete mit vorgehaltener Hand, den Oberkörper von mir abgewandt, um den Wind abzuhalten, zwei Zigaretten an und reichte mir die eine, in der hohlen Hand vergraben.

Die kopierten Blätter der Krankengeschichte liegen unordentlich über den Schreibtisch verteilt, am Boden stapeln sich ein paar Bücher über die Psychiatrie im Dritten Reich, ich habe gerade in einem Bericht Angaben über die Zahlen der Patienten gelesen, die planmäßig von Ärzten ausgesondert und in Vernichtungskliniken überstellt worden waren, wo sie vergast oder durch Spritzen umgebracht wurden. An diesen Patienten wurden die Techniken der Vernichtung erprobt, die in den Jahren danach zynisch perfektioniert wurden und Millionen Menschen das Leben kosten sollten. Ein Programm, das ausgearbeitet wurde, um sogenanntes unwertes Leben zu beenden, und von der allgemeinen Begründung bis zur detaillierten Beschreibung der Mordmethoden lese ich Formulierungen, die kalt die Maschinerie erklären und alles als logische Konstruktion darstellen, von der Selektion über den Transport, von der Todesart bis zur Beseitigung der Leichen. Ich lese die Auszüge der Originaldokumente, die trockene Bürokratensprache, ich überfliege Schreiben von Universitätsprofessoren, die Gehirne zur Sektion bestellten, studiere die Konstruktionsskizzen für Gaskammern und Krematorien, die Aufstellungen der Kostenabrechnungen für Nahrungsmittel, die Beschreibung des Transportwesens mit Erwähnung der Fahrzeugtypen, die Todeslisten der einzelnen Kliniken und Anstalten, abgedruckte Vorlagen für Telegramme an die Hinterbliebenen, angefügt eine Liste für die Beamten mit Vorschlägen für plausible Todesursachen. Ich lese eine Szenenbeschreibung aus Hadamar, in der die feierliche Verbrennung der zehntausendsten Leiche eines Psychiatriepatienten geschildert wird, für die eigens ein Behinderter mit großem unansehnlichem Kopf ausgesucht worden war. Zum Schluß gab es für die anwesenden Angestellten der Anstalt reichlich Freibier und Würste, Reden mit Lob für die vollbrachte Arbeit, der sich alle unter strengstem Stillschweigen nach außen verschrieben hatten. Ich lese, bis ich es nicht mehr aushalten kann und vom Schreibtisch aufstehen muß. Unten auf der abendlichen Straße fährt eine Kolonne Autos vorbei, es ist die Zeit nach Geschäftsschluß, ich zähle die Menschen im beleuchteten Inneren der Straßenbahn, setze mich, ganz in Vorstellungen gefangen, die das Gelesene in mir wachgerufen hat, auf das Sofa und betrachte das Bild von Großmutter an der Wand. Alles, was ich gelesen habe, habe ich wegen dieser Frau gelesen, die ich nie kennengelernt habe. Vielleicht könnte ich mich sonst aus Kindheitserinnerungen an ihre Verrücktheit erinnern, an ihren Wahn, an die abstrusen Geschichten mit absurden Inhalten, die sie mir immer wieder erzählt und denen ich mit staunenden Augen gelauscht hätte. Ich setze mich zurück an den Schreibtisch, blättere in den Kopien der vom Pflegepersonal verfaßten Notizen, die seitenfüllenden Zeilen ohne persönliche Kommentare, die Großmutters wechselnde Zustände festhielten, eine Chronik der kleinen Vorkommnisse, Litanei des Krankenalltags. Die handgeschriebenen Einträge sind schwer zu entziffern, ich erahne teilweise den Inhalt, der sich in endlos gleicher Form zu wiederholen scheint, manchmal gab es wöchentliche Notizen, dann alle paar Monate. Über die Lebensbedingungen finde ich keine Hinweise, keine Anmerkungen über die Knappheit der Nahrung, die überfüllten Säle, die Infektionen, der Man-

gel an Betten und Sanitäranlagen, nichts von dem ist erwähnt, wenig jeweils über die Gründe der Verlegung oder darüber, warum man Großmutter nicht nach Hadamar zurückverlegt hat, es erstaunt mich, daß sie trotz ihres schweren Krankheitsbildes den Selektionen entgangen sein muß. Zuletzt keine Einträge mehr, die sich auf das Verhalten oder den Zustand der Patientin beziehen, es existiert eine Liste der täglich gemessenen Körpertemperatur der letzten Tage, die mit 34,6 °C endet, dann nichts mehr, schließlich der Eintrag über die Uhrzeit des Todes.
Ich stelle mir vor, wie ich mit ihr auf einer Parkbank im Klinikgarten sitzen würde, ich hätte mir ihre Reden angehört, würde ihr erklären müssen, immer von neuem, wer ich bin. Ich würde ihre Hand in die meine genommen haben, ihre kleinen dicken Finger, am Mittelfinger der rechten ein alter Ring, abgeschabt, der Stein längst aus der Fassung gesprungen, wir würden gemeinsam zum Café am Gelände der Klinik gehen, und ich würde ihr zusehen, wie sie mit großer Hast ein Stück Torte in sich hineinschlingt, mit aus beiden Mundwinkeln tropfendem Speichel, den ich ihr mit den Enden der umgebundenen Serviette vorsichtig und gegen den Widerstand ihrer unentschlossen abwehrenden Hand abwischen würde, eine Nebenwirkung der Medikamente, die sie seit Jahren bekommen hätte. Sie hätte die hellblauen Augen starr auf das Essen gerichtet, nur manchmal würde sie sich von ihrem Teller zurücklehnen, um kurz zu mir und dann zum Nebentisch zu sehen, mit leerem Blick, gehetzt, miß-

trauisch, um etwas von einem Umstellformat vor sich hin zu murmeln. Sie würde die Bissen noch lange nachkauen, bis der letzte Krümel verschluckt wäre, dann würde sie, ohne auf mich zu warten, in einer eckig abrupten Bewegung aufstehen und mit kleinen Schritten, vorgeneigt und steif, wieder in ihr Zimmer gehen, ganz mit sich selbst beschäftigt. Ich würde ihr nachlaufen, um mich von ihr zu verabschieden, während sie bereits wieder am Fenster Platz genommen hätte, das Strickzeug neben sich auf dem Nachtkästchen, und sie würde abwesend in den Garten blicken, ohne von mir richtig Notiz genommen zu haben. Oma, ich komm dann nächste Woche wieder.

An die Landesheilanstalt Marburg
16.12.39

Ich bitte hiermit die Direktion um Bescheid, ob ich meine Ehefrau B.S. nach Hause holen kann. Wenn nicht, bitte ich um Auskunft, ob meine Frau heilbar ist oder nicht. Ich bitte die Direktion, mir baldigst Antwort zu geben.

Mit deutschem Gruß
P.S.
Enkheim/Hanau

Sehr geehrter Herr S.
20.12.39

Zu unserem Bedauern müssen wir Ihnen mitteilen, daß sich der Gesundheitszustand Ihrer Frau noch nicht wesentlich gebessert hat, und daß es zur Zeit unmöglich ist, sie zu entlassen. Sie leidet unter Wahnideen und Sinnestäuschungen, ist unruhig und ablehnend, unter anderem meint Ihre Frau, daß sie die Tochter des Satans und der Kaiser ihr Großvater sei. Sie bedarf dauernder Überwachung, und es steht zu befürchten, daß sie außerhalb der Klinik ihrer Umgebung gefährlich werden könnte. Außerdem stehen einer Entlassung gesetzliche Vorschriften im Wege. Die Krankheit bietet keine Aussicht auf Heilbarkeit.

Heil Hitler
I. Oberarzt und I. Med. Rat
Landesheilanstalt Marburg

An die Direktion der Landesheilanstalt Marburg
15.7.40

Ich bitte die Direktion, mir Nachricht über den Gesundheitszustand meiner Ehefrau B.S. zu geben. Ist es nicht möglich, daß man meine Frau versuchsweise nach Hause lassen kann? Es geht jetzt schon in das sechste Jahr, daß meine Frau von zu Hause weg ist, und ich glaube, daß es für einen Menschen, der am neunten November 1918 schwer verwundet worden ist und der für das Vaterland seine Gesundheit geopfert hat, eine lange Zeit ist, ohne seine Frau auskommen zu müssen. Zur Zeit geht es mir wieder schlecht, die Direktion kann sich vielleicht in meine Lage hineindenken, wenn man Hilfe gebraucht und keine hat. Aus diesem Grund bitte ich die Direktion, mir eine klare Antwort zu schreiben, ob meine Frau heilbar oder unheilbar ist. Die Gesetze im Dritten Reich sind so willkommen, daß ich mir Abhilfe schaffen kann, damit es mir etwas bessergeht. Ich hoffe, daß die Direktion so freundlich ist und mir eine klare Antwort zuteil werden läßt.

Mit deutschem Gruß
P.S.
Enkheim/Hanau

An Herrn P. S.
31.7.40
Enkheim/Hanau

Sehr geehrter Herr S.,
Ihre Frau ist noch immer sehr erregt, sie greift andere Kranke an und ist als gemeingefährlich anzusehen. Eine

Entlassung ist daher nicht möglich. Das Leiden ist als unheilbar anzusehen.

Heil Hitler
I. A.
gez. Dr. H. G.

Beim Verlassen des Klinikgeländes in Merxhausen war Mutter seltsam gelöst und gesprächig, sie erzählte von ihrer Kindheit, von den anderen Familien, mit denen sie gemeinsam im Haus der Urgroßmutter gewohnt hatten, und ich bemerkte erstmals, daß ich von keinem, den sie erwähnte, jemals etwas gehört hatte, ich warf die Namen durcheinander und war mir sicher, daß nicht ich alles vergessen hatte, sondern Mutter das erste Mal von ihren Verwandten sprach. Es war ein stattliches Personal, das da in ihrer Kindheitsgeschichte mitspielte, und obwohl ich niemanden von ihnen persönlich kennengelernt hatte, außer Mutters Cousine Clara, bekamen sie langsam Gestalt, hatten ein Schicksal und verschiedene markante Merkmale, an die ich mich sicherlich erinnert hätte, wären sie Teil von Mutters früheren Erzählungen gewesen. Sie versuchte sogar, die Besuche bei der Verwandtschaft ihrer Mutter im Rheinland aus dem Gedächtnis zu kramen. Zu der Zeit war sie vielleicht sechs Jahre alt, einige Details hatte sie noch vor Augen, es war, als hätte

sich eine Türe geöffnet, hinter der, unter Spinnweben vergraben, alte unbenutzte Gegenstände herumstanden, die sie nach und nach zu entstauben versuchte.
»Wir werden nach Enkheim fahren, nach Fechenheim auch, ich will noch einmal die Gegend sehen, in der ich aufgewachsen bin, und ich will meine alten Freundinnen treffen, einige sind ja noch am Leben.«
Mutter hatte bis in die Gegenwart den Kontakt zu ihnen gehalten, man schrieb sich zu Weihnachten oder schickte kurze Geburtstagswünsche, und bis in die Siebzigerjahre hatten wir sie besucht, wenn wir nach Frankfurt gefahren waren. Mir fiel die düstere Wohnung an der Hauptstraße im Ort ein, Fechenheim, wir waren zu Besuch bei Mutters bester Freundin Ria, und ich hatte mich die meiste Zeit entsetzlich gelangweilt, ich war acht damals und wußte an den langen untätigen Nachmittagen nichts Rechtes mit mir anzufangen. Der grünlich leuchtende Zimmerspringbrunnen aus Plastik hatte monoton vor sich hin geplätschert, während ich den Erwachsenen bei ihren Gesprächen darüber, was sie im Krieg erlebt hatten, zuhörte. Die Ölgemälde an den Wänden, die Rias Vater gemalt hatte, sind mir im Gedächtnis geblieben, in ihren unnatürlichen Grün- und Violettönen, mit denen sie die Stimmungen in der Lüneburger Heide einzufangen versuchten. Das einzige Bild, das ich mochte, das mich aber auch beunruhigte, war ein Porträt von Mutters Freundin als junges Mädchen. Es mußte vor dem Krieg gemalt worden sein, ein hübsches Gesicht mit

dunklen Augen, die sehr lebhaft aus dem Bild blickten und mir das Gefühl gaben, als würden sie mir überallhin folgen, sogar wenn ich die Türe hinter mir schloß und mich in den Garten unter die Weinhecke verkroch, wo ich abseits von den anderen einen geschützten Platz in einer Sitzecke aus Holzstühlen eingerichtet hatte und in meinen mitgebrachten Zeichenheften kritzelte. Das Gemälde war, soweit ich mich erinnerte, mit 1939 datiert, damals mußten sich meine Mutter und Ria schon gekannt haben. Sie hatten, Mutter erzählte manchmal davon, viel gemeinsam erlebt, und wenn sie zusammensaßen, erzählten sie sich wieder und wieder Geschichten, von ihrer Arbeit in der Telephonzentrale der am Stadtrand gelegenen Fabrik, zu einer Zeit, als bereits die ersten Bomben fielen. Bis 1947, als Mutter schließlich nach Österreich zog, waren sie unzertrennlich gewesen.

»Ria hat lange nichts mehr von sich hören lassen, ich glaube, sie ist schon alt und vergeßlich geworden, immerhin ist sie ein paar Jahre älter als ich. Kathi, die Dritte in unserer Runde, hat mir geschrieben, daß sie in den letzten Jahren sehr zurückgezogen lebt und gebrechlich ist, aber ins Altersheim will sie trotzdem nicht.«

Wir gingen langsam, aber zielstrebig noch einmal zum Friedhof hinauf, der etwas außerhalb des Anstaltsgeländes gelegen war. Ich blieb an einer kleinen Mauer stehen, um meine Tasche abzustellen, in die ich die Kopie von Großmutters Krankengeschichte packte, ich hatte sie noch immer in der Hand gehalten, seit wir vom Chefarzt verabschiedet worden waren. Es begann leicht zu nieseln, und ich wollte das Papier vor der Nässe schützen.

»Weißt du, ich habe diese Reisen nach Deutschland gehaßt als Mädchen.«

Die Zoobesuchte mochte ich damals gerne, auch die Straßenbahnfahrten durch die Stadt, und das Stadtgetriebe, das für mich völlig neu war. Aber alle Orte waren für mich unwirklich gewesen, weil ich mir immer vorzustellen versuchte, wie es früher dort ausgesehen haben mußte, denn die Erzählungen meiner Eltern reichten dafür nicht aus. Ich hatte Bilder von Häusern und Plätzen im Kopf aus der Zeit vor dem Krieg. Sie klebten in unserem Familienalbum, oder ich hatte sie, in einem Schuhkarton verstaut, in Vaters Schrank gefunden. Meine Eltern hatten mir die Luftschutzbunker gezeigt, sind zu den Hauseingängen, in deren Keller sie sich aufgehalten haben, wenn Alarm ausgelöst worden war. Es war gespenstisch, mit ihnen in einer Stadt herumzulaufen, die nicht mehr die war, die sie finden wollten. Mutter sah mich nachdenklich an. Wir hatten vorher nie über diese Besuche in Deutschland geredet, in denen sie lediglich eine Bestandsaufnahme ihrer Vergangenheit unternommen hatte, gemeinsam mit meinem Vater, der sich wohl gefühlt zu haben schien, für seinen Teil, wie ich mir später oft dachte, auf der Suche nach den gemeinsamen glücklichen Anfängen ihrer Beziehung. Mutter und ich spazierten zwischen den Grabreihen umher. Das trübe

Wetter war wieder besser geworden, und wir hatten für diesen Tag nichts mehr vor, wir würden weiter fahren, eine neue Unterkunft für die Nacht suchen und vielleicht noch die Marburger Altstadt besichtigen, wir hatten keine Eile. Für den nächsten Tag war bereits ein Termin in der Klinik in Hadamar vereinbart. Mutter sagte, sie sei mit einem Mal unendlich müde geworden, und wir setzten uns, bevor wir wieder ins Auto stiegen, auf eine Mauer vor der Friedhofskappelle.
»Ich werde sicher nicht mehr hierherkommen in diesem Leben. Es ist, als ob ich diese Reise gebraucht hätte, um mich wirklich von ihr zu verabschieden.«

Tonbandskript, Juli 98

Damals hat Vater meinen Cousin Ernst von der Straße hereinholt und ihm eine Ohrfeige verpaßt, weil er mitmarschierte. Alle Hausbewohner standen am Gartenzaun und haben den Fackelzug der Hitlerjugend beobachtet. Es war irgendwann ganz am Anfang und Ernst war nicht der einzige aus unserer Straße. Er ist auch das nächste Mal dabeigewesen, und Vater hat ihm eine Standpauke gehalten, aber das hat nicht viel genützt, obwohl auch seine Eltern dagegen waren, hat er sich später in die Partei einschreiben lassen und ging zur SS. Seine Mutter und seine Geschwister Lotte und Max waren unglücklich darüber, sie haben versucht, ihn davon abzubringen, es hat deswegen im Haus großen Streit gegeben, aber es half alles nichts. Clara hat mir erzählt, daß alle zusammenkamen, um Ernst ins Gewissen zu reden. Nach dem Krieg ist er nicht mehr nach Hause gekommen, die einen sagten, die Russen hätten ihn erschossen, andere behaupteten, er habe sich selbst das Leben genommen, als er sah, daß die Nazis am Ende waren. Ernst und ich waren gleich alt, haben als Kinder viel gemeinsam unternommen, uns gut verstanden, und als er von der Hitlerjugend zu erzählen angefangen hat, wollte ich natürlich auch zum Bund deutscher Mädchen gehen, aber das kam überhaupt nicht infrage, mein Vater hatte es verboten, und damit war die Sache ein für allemal erledigt. Ich habe seine strikte Haltung nicht verstanden, viele der Mädels aus unserer Gegend waren dabei, es war immer etwas los, Ausflüge wurden gemacht, Fahrten in Ferienlager unternommen, und die Uniformen gefielen mir. Meine Cousine Margarethe, deren Eltern schon früh gestorben waren, ist in Ernsts Familie großgeworden, aber nie gut behandelt worden. Einmal sind sie und ich heimlich dorthin gegangen, mein Vater hat es aber erfahren, und dann war der Spuk vorbei. Margarethe ist im Krieg an einer Blutvergiftung gestorben, weil sie sich von einer Arbeitskollegin ein Kind hatte abtreiben lassen, niemand wußte davon, ein uneheliches Kind wäre eine Katastrophe gewesen. Wir haben sie mit hohem Fieber ins Krankenhaus gebracht, sie konnte gar nicht mehr sprechen, war nur mehr apathisch, es war zu spät, am nächsten Tag war sie schon tot, ich habe die Geschichte lang nicht verwinden können, es war, als hätte ich eine Schwester verloren. Sie hat oft von Kindern gesprochen, mindestens drei wollte sie haben und ihnen eine gute Mutter sein. Kurze Zeit später, als ich dann geheiratet habe, mußte ich auf den Pfarr- und Standesämtern die Unterlagen und Urkunden für den Ahnenpaß zusammensammeln, ich habe manchmal in dieser Zeit an Margarethe gedacht, vielleicht wollte sie, daß der Name des Vaters ihres Kindes nicht bekannt wurde. Großvaters Familie ließ sich leicht zurückverfolgen, und die Daten von Mutters Verwandtschaft habe ich auch ausfindig machen können, ich bin sogar auf die adelige Urgroßmutter gestoßen, von der Mutter immer gesprochen hat und deren Familie Besitzungen in Holländisch Indien gehabt haben soll, dem bin ich aber nie nachgegangen, ich habe mir gedacht, wenn wir wirklich etwas geerbt hätten, dann hätten wir das auch erfahren. Soviel ich weiß, ist diese Urgroßmutter aus ihrer Sippe verstoßen worden, weil sie einen Bergmann geheiratet hat, einen einfachen Steiger, nicht standesgemäß. Mutter hatte dreizehn Geschwister, das war eine Menge Arbeit für mich, all die Namen in den Ahnenpaß einzutragen, ich weiß noch, wie ich mir mit der Schönschreibung Mühe gegeben habe, insgesamt acht Schwestern und fünf Brüder, Mutter war die siebente in der Reihe, die vier letzten, zwei Mädchen und zwei Buben sind gleich nach der Geburt gestorben. Wir waren einmal in Köln bei einer ihrer Schwestern, die war gut verheiratet, mit einem Geschäftsmann und wohnte in einer großen Wohnung mit Blick auf den Dom, von ihr habe ich silberne Teelöffel für meine Aussteuer geschenkt bekommen, für die ich ihr einen Dankesbrief geschrieben habe, ich war damals noch in der Volksschule, den Brief habe ich auf Rechtschreibfehler korrigiert wieder zurückgeschickt bekommen, meine Mutter hat daraufhin den Kontakt abgebrochen, sowas müßten wir uns nicht gefallen lassen, hat sie gesagt.

Sandnes, Mai 98

»Seit Mor im Pflegeheim ist, ist es im Haus noch stiller geworden. Sie hat nicht mehr viel geredet in den letzten beiden Jahren, weil sie merkte, wie manches, von dem sie sprach, nicht mehr zusammenpaßte und sie viele Wörter aus dem Gedächtnis verloren hatte. Es war schmerzhaft, mitanzusehen, wie ihre Erinnerung sie nach und nach im Stich ließ.«
Die Wellen im Becken des kleinen Hafens begannen kräftiger gegen die Mauer der Mole zu schwappen, und man hörte das helle Klirren und Klappern der Seile an den Schiffsmasten stärker als zuvor. Draußen am Horizont waren tiefliegende dunkle Wolken aufgezogen, die sich mit großer Geschwindigkeit der Küste näherten, und es waren schon die ersten Regentropfen zu spüren. Far

zog sich die graue Kappe fester in die Stirn und stützte seine Hände auf die Knie. Die schwarze Hose, die er trug, war an den Nähten schon ausgebleicht, es war niemand mehr da, der ihm sagte, daß er sie doch endlich ausrangieren und eine von den ungetragenen alten Anzughosen aus dem Schrank holen sollte. Seine Töchter hatten eine Haushaltshilfe für ihn besorgt, die jede Woche einmal vorbeischaute, um das Notwendigste zu erledigen. Sie hatte nicht die Zeit, sich darum zu kümmern, ob seine Hemden gebügelt waren, ob sich Kaffeeflecken am Revers fanden oder Eireste auf dem Kragen, und ich konnte mir auch vorstellen, daß sie sich nicht trauen würde, ihm Ratschläge zu geben, oder er sie nicht annehmen wollte, in seiner altbekannten Sturheit, gegen die sie nicht ankonnte, selbst wenn er spürte, daß er auf sie angewiesen war. Die grüne wasserdichte Jacke, die er trug, kannte ich von früher, er hatte sie oft auf unseren Ausflügen getragen oder bei der Arbeit, im Herbst und Winter, wenn es tagelang nicht aufhören wollte zu regnen und der Wind Böe um Böe heranblies, die einen dann jedesmal von neuem unerwartet mit ihrer feuchten Gischt treffen konnten.

»Mor hat mich, wenn sie von der Arbeit auf dem Hof der Eltern wegkonnte, regelmäßig in Oslo besucht, als ich dort zur Technikerschule ging. Wir hatten nur ein kleines Zimmer zur Verfügung, aber viel Zeit füreinander blieb uns ohnehin nicht, denn ich mußte mir an den schulfreien Tagen und am Abend das Geld als Hausmeister und Laufbursche im Hotel Continental verdienen und war froh über diese Stelle. Das war noch während des Krieges.«

Er erzählte, daß man es ihm nachher natürlich als eine Vergünstigung auf Grund seiner Parteitreue ausgelegt hatte, weil er zu dieser Zeit nach Oslo konnte. Aus finanziellen Gründen habe er dann abgebrochen und eine Zeit in verschiedenen Betrieben in der Gegend gearbeitet. 1947 zogen sie nach der Heirat noch einmal nach Oslo, weil Far die Schule fertig machen wollte. Mor hatte eine Stelle als Kindermädchen gefunden, und so konnten sie zu zweit in das Dienstbotenzimmer in eine der Villen am Stadtrand ziehen. Verdient haben sie dort fast nichts, dafür hatten sie freie Kost und Logis. Der einzige Luxus, den sie sich leisteten, war das Kino, und damals hatte er zum ersten Mal den *Dritten Mann* gesehen.

»Die Musik des Films ist zu meiner Lieblingsmelodie geworden, sie hat mich bis heute begleitet, ich spiele sie bei jeder Gelegenheit, wie du weißt. Wie oft ich den Film inzwischen gesehen habe, kann ich gar nicht sagen.«

Ich sah uns gemeinsam am Piano im Wohnzimmer sitzen, seine Art Klavier zu spielen hatte mich immer eigenartig berührt, wie er, gänzlich den Rhythmus vergessend, die Harmonien mit seinen klobigen Fingern auf den Tasten anschlug und mir alte Volkslieder vorspielte, die mich in ihren Molltonarten magisch anzogen. Es war damals während meines Schuljahres hier das erste Mal seit meiner Kindheit, daß ich diese Melodie wieder gehört hatte, und sie sollte für mich auch später mit Far verbunden bleiben.

Ein älterer Mann machte sich in einem der Boote, die vor uns vertaut lagen, an den verwickelten Fischernetzen zu schaffen, ich hatte ihn bei unserer Ankunft gar nicht bemerkt, so sehr paßten die langsamen, wellenförmigen Bewegungen der Hände beim Sichten des Garns zum schaukelnden Auf und Ab der kleinen Schiffe und der Wellen an der Mole. Far hob seine Hand, als der Alte zu uns herübersah, er aber erwiderte den Gruß nur mit einem Kopfnicken, ohne seine Netze auch nur einen Augenblick loszulassen, als würde er befürchten, sie könnten sich von neuem hoffnungslos verheddern.

»Jahre lag sein Boot neben meinem, aber er hat immer nur das Nötigste mit mir geredet.«

Far saß in sich zusammengesunken, und ich bemerkte, daß er nachdenklicher wurde, seine Lippen spannten sich fester als sonst um die fast zu Ende gerauchte Zigarette, die er beim Reden im Mund behalten hatte. Er nahm schließlich den glimmenden Filter und schnippte ihn mit einer schnellenden Bewegung des Daumens bis an den Rand der Mole, wo die Glut nach kurzer Zeit in wirbelnden Spiralbewegungen ins Hafenbecken geweht wurde. Der Mann im Boot, so begann Far zu erzählen, hatte während des Krieges in England eine militärische Ausbildung erhalten und anschließend hier im Untergrund eine Einheit von Widerstandskämpfern ausgebildet.

»Er hat mich über all diese Zeit nur seine Verachtung spüren lassen.«

Dr. A. M.
Rechtsanwältin, Frankfurt am Main
1.10.40

Ich bin vom Amtsgericht Frankfurt am Main zur Pflegerin für die bei Ihnen aufgenommene Frau B. S. geb. S. bestellt worden. Der Ehemann P. S. hat gegen seine Ehefrau die Scheidungsklage erhoben, mit der Begründung, daß Frau S. an einer geistigen Störung oder gar an einer Geisteskrankheit leidet. Der Scheidungsklage ist das dortige Attest vom 31.7.1940 beigelegt worden. Aus diesem Attest kann ich über die Art der Erkrankung meines Pfleglings nichts entnehmen. Für die Durchführung des Ehescheidungsprozesses ist es aber wichtig zu wissen, ob Frau S. an einer Geisteskrankheit oder lediglich an einer geistigen Störung leidet. Wenn letzteres der Fall ist, wäre es außerdem wichtig zu wissen, ob die geistige Störung eventuell auf einem Verschulden des Ehemannes (Ansteckung, Mißhandlung etc.) beruht. Ist in der Anstalt etwas darüber bekannt? An wen kann ich mich wenden, um über die ehelichen Verhältnisse und über die Familie des Pfleglings Auskunft zu erhalten?
Da der Termin bereits für den 8. Oktober 1940 anbe-

raumt ist, wäre ich für eine baldige Beantwortung meines Schreibens sehr dankbar.

Heil Hitler
Dr. A. M. / Rechtsanwältin

An Frau Dr. A. M.
Rechtsanwältin zu
Frankfurt am Main
5.10.40

Auf Ihre Anfrage vom 1. des Monats teile ich Ihnen ergebenst mit, daß es sich bei Frau B. S. um eine Geisteskrankheit handelt, deren Herkunft erblich ist. Das Verhalten des Ehemannes hat mit dem Ausbruch und dem Verlauf der Erkrankung nichts zu tun. Ihr Ehemann hat wiederholt um ihre Entlassung gebeten, die wegen der großen Unruhe der Patientin abgelehnt werden mußte. Es ist eine Tochter S. vorhanden, deren Adresse dem Krankenhaus jedoch nicht bekannt ist. Außerdem hat die Patientin mehrere Geschwister, auch deren Anschriften sind hier nicht bekannt.

Heil Hitler
l. Oberarzt, l. Med. Rat

Landesgericht Frankfurt am Main, Zivilkammer,
den 8. Oktober 1940
An den Direktor der Landesheilanstalt Marburg/Lahn

In der Ehescheidungssache P S., Arbeiter, Kläger
Prozeßbevollmächtigter: Rechtsanwalt Dr. U.
gegen
seine Ehefrau B. S., geb. S., Beklagte zur Zeit in der Landesheilanstalt Marburg an der Lahn, vertreten durch ihren Pfleger, Frau Rechtsanwältin M.

bitte ich gemäß Beweisbeschluß vom 8.10.40 um Erstattung eines schriftlichen Gutachtens über folgende Fragen:
1) Ist die beklagte Ehefrau B. S. geisteskrank und zwar in einem Grade, daß die geistige Gemeinschaft zwischen den Parteien als aufgehoben gelten muß und eine Wiederherstellung derselben nicht erwartet werden kann.
2) Andernfalls, wenn die erste Frage zu verneinen ist:
Ist die Ehe der Parteien infolge eines Verhaltens der Frau B. S., das auf einer geistigen Störung beruht, so tief zerrüttet, daß eine Wiederherstellung der ehelichen Gemeinschaft nicht erwartet werden kann.
Es wird gebeten, das Gutachten in dreifacher Ausführung hier einzureichen.

Landesgerichtsdirektor
A. F.

Landesheilanstalt Marburg an der Lahn
24. Oktober 1940

Auf Ersuchen der Zivilkammer des Landesgerichtes Frankfurt am Main erstatte ich in der Ehescheidungssache des Herrn P. S. gegen seine Ehefrau B. S. gemäß Beweisbeschluß vom 8. d. M. das folgende Gutachten über die gestellten Fragen.
Das Gutachten stützt sich auf die Krankengeschichte der U. Nervenklinik F/M, der Landesheilanstalt Hadamar und der Landesheilanstalt Marburg, sowie auf eigene, zum Zwecke der Begutachtung unternommene Untersuchungen am 22. Oktober 1940.

In der Untersuchung zeigt sich Frau S. nicht besonders gesprächig. Auf die Frage, was sie denn zu einer Scheidungsklage, die ihr Mann gegen sie eingereicht hat, zu sagen habe, meinte sie, unter die Decke verkrochen, das ist aber patent, ich unterschreibe sofort, wissen sie nicht, daß eine Frau Besuchsstunden und eine Bedienung braucht. Während der ganzen Unterhaltung hebt die Kranke die Bettdecke zeltartig über sich und ist nicht bereit, hervorzuschauen. Auf weitere orientierende Fragen wurden jeweils sogleich von ihr Gegenfragen gestellt.

Nach Berichten der Schwestern hätten die wahnhaften Zustände in den letzten Monaten zugenommen, so behaupte die Patientin ständig, sie sei immer noch adeliger Herkunft, man solle ihr doch endlich ihr Schloß zurückgeben, alles sei von einem Umstellformat kontrolliert und stünde unter dessen Hypnose. Auf die Frage, ob sie denn nicht wieder nach Hause möchte, habe die S. geantwortet, nach Hause keinesfalls, wir, sie sprach von sich selbst in der Mehrzahl, seien doch verrückt.
Nach den oben geschilderten Tatsachen ist eine Wiederherstellung der geistigen Gemeinschaft zwischen den Eheleuten nicht zu erwarten, mit einer weitgehenden Besserung des jetzigen Zustandes kann nicht gerechnet werden. Die Patientin leidet an der Krankheit seit mehreren Jahren, das heißt wahrscheinlich seit ihrem fünfunddreißigsten Lebensjahr. Während der seither vergangenen Zeit ist es zwar vorrübergehend zu geringfügigen Verbesserungen des Zustandes gekommen, aber von einer weitgehenden Besserung, daß die geistige Gemeinschaft zwischen den Ehepartnern sich wiederherstellen ließe, konnte während der ganzen Zeit nicht die Rede sein. Mit einer Besserung ist auch in Zukunft nicht zu rechnen, man wird auch mit einer weiteren Verschlechterung zu rechnen haben.

Zusammenfassend gebe ich mein Gutachten dahingehend ab:
Die beklagte Ehefrau S. ist geisteskrank, und zwar in

einem Grade, daß die geistige Gemeinschaft zwischen den Parteien aufgehoben ist und eine Wiederherstellung nicht erwartet werden kann.
Die Beantwortung der zweiten Frage erübrigt sich daher.

Prof. Dr. J. F.
Direktor der Landesheilanstalt und
Landesobermedizinalrat

Landesgericht Frankfurt am Main
4. September 41
Zivilkammer

In Sachen S. gegen S. wird unter Bezugnahme auf die Anfrage vom 26.8.41 mitgeteilt, daß die fragliche Ehe durch das Urteil des hiesigen Landesgerichtes, Zivilkammer, geschieden worden ist. Das Urteil ist mit Ablauf des 13.12.40 rechtskräftig geworden.

Justizinspektor N. G.
beglaubigt
Justizassistent W. B.

Tonbandskript, Juli 98

Nach der Schule habe ich immer für uns beide gekocht, für Vater und für mich, ich habe mich am Anfang ganz und gar ungeschickt angestellt, weil ich keine Übung hatte. Einmal habe ich eines der Kaninchen, die mein Vater im Stall hinter dem Haus gezüchtet hat, verkohlen lassen, weil ich den Braten im Rohr über meinen Schulaufgaben vergessen hatte, und es war schlimm für mich, denn ich hatte ein Rezept von Mutter verwendet, hatte das Fleisch vorgebeizt und in Gewürze eingelegt, sie hatte mir alles erklärt und aufgeschrieben, ich weiß nicht mehr, ob in der Anstalt oder vorher, denn selbst als sie dort war, hat sie mir oft Ratschläge erteilt und Anleitungen für bestimmte Gerichte mitgegeben, von denen sie wußte, daß Vater sie gerne mochte und mit seinem angegriffenen Magen auch gut vertragen konnte. Sie war besorgt, daß ich zu Hause alles richtig machen sollte, mich genügend um Vater kümmerte, und auch die Hemden sorgfältig bügelte. Als er an dem Nachmittag heimkam, war er nicht einmal wütend beim Anblick des hoffnungslos schwarzen Etwas im Herd. Er hat still seine Kartoffeln gegessen und gesagt, daß er sich um eine Haushälterin umsehen werde, ich solle mich ganz darauf konzentrieren, die Schule fertig zu machen. Als er das sagte, hab ich geheult, und es wurde nicht mehr darüber geredet. Eines Tages stand dann die Else auf dem Flur, hat mir die Hand gegeben und gesagt, sie wäre mit meinem Vater übereingekommen, hier nach dem Rechten zu sehen, sie käme ab jetzt jeden Tag zum Kochen und einmal in der Woche würde geputzt. Es war mir zuwider, daß sie sich in unseren Haushalt einmischte, ich mochte ihre Art nicht, und solange ich zu Hause wohnte, bis knapp vor Kriegsende, sind wir uns dauernd in den Haaren gelegen, sie war rechthaberisch und fürchterlich penibel. Wo Vater das Geld für ihren Lohn herhatte, konnte ich nicht sagen. Einmal hab ich ihn fast auf Knien gebeten, Else rauszuschmeißen, ich hab ihn angefleht, er aber hat mich schroff zurechtgewiesen und gemeint, wir bräuchten sie und damit Schluß, und du wirst dich an sie noch gewöhnen. Sie ist schließlich bei uns eingezogen, das war später, als ich selbst schon im Arbeitsdienst war, und ich hab mir dann ein Zimmer gesucht, in Fechenheim, hab es in ihrer Nähe nicht länger ausgehalten und auch nicht ertragen, daß sie stillschweigend Mutters Platz übernommen hatte. Die Scheidung habe ich verdrängt, vergessen, es hat mich überrascht, das alles in den Akten zu lesen, und es ist eigenartig zu merken, welchen Streich einem die Erinnerung spielen kann. Else hat nicht umsonst so lange den Haushalt geführt, sie wollte versorgt sein, jeder mußte damals schauen, wie er am besten durchkam, die Zeiten waren hart, und ich bin mir sicher, daß sie Vater gezwungen hat, sich scheiden zu lassen, von sich aus hätte er das nicht gemacht. In dieser Zeit habe ich dann auch geheiratet, ich kannte meinen Mann erst drei Monate, und er mußte bald wieder an die Front.

Heute denke ich mir, es war eine Flucht nach vorne. Mein Vater hat sich dann nicht mehr um Mutter gekümmert, konnte er auch nicht, vor lauter schlechtem Gewissen, zumindest glaube ich, daß er eines hatte. Ich hab sie allein besucht, hab ihr Briefe geschrieben, aber sie hat nur mehr selten zurückgeschrieben, vielleicht war sie schon zu krank oder sie hat die Scheidung nicht verwinden können, obwohl ich nicht einmal weiß, ob sie verstanden hat, was vor sich ging. In ihrem Leben hatte sich dadurch nichts geändert, sie konnte ohnehin die Anstalt nicht mehr verlassen. Die Else habe ich immer gemieden so gut es ging, und daß ich dann mit meinem Mann nach Österreich gegangen bin, hatte bestimmt auch damit zu tun, möglichst weit weg von ihr zu sein. Mein Vater hat mir mein Weggehen nie verziehen, die Ohrfeige beim Abschied am Bahnsteig steckt mir heute noch in den Knochen. Ich erinnere mich, was ich damals angehabt habe, ein dunkelblaues umgenähtes Wollkostüm, das ich von einer Cousine geschenkt bekommen hatte, es war an den Säumen abgestoßen und paßte ihr nicht mehr. Die schwarzen Aufschläge an den Ärmeln und den schwarzen Kragen aus Samt hatte ich aus einem Stofffetzen zusammengestückelt, der noch in Mutters Schrank gelegen war. Mit meiner bescheidenen Aussteuer bin ich aufgebrochen, nach dem Krieg, und ich war eine Ewigkeit unterwegs, bis ich endlich den kleinen Ort erreichte, in dem ich die nächsten fünfzig Jahre zubringen sollte. Ich bin ausgewandert und frag mich heute noch manchmal, wie das Leben verlaufen wäre, wenn wir in Frankfurt neu angefangen hätten. So groß wäre der Unterschied wahrscheinlich nicht gewesen, mein Mann hätte im Werk, in dem auch Vater und ich während des Krieges gearbeitet hatten, eine Stelle angenommen, Facharbeiter waren gefragt, eine kleine Wohnung für den Anfang wäre auch da gewesen, die hatte ich günstig zu mieten bekommen, als ich im Arbeitsdienst war, ich kannte die schon etwas gebrechliche Besitzerin und habe für sie den Haushalt gemacht, ihr einziger Sohn war im Krieg gefallen, und ihr Mann war schon lange vorher gestorben. Alles andere hätte sich genauso gefunden, aber mein Mann wollte nicht, er wollte wieder nach Hause.

Als ich im Dokumentationszentrum Hadamar langsam hinter meiner Mutter die Stufen vom Keller nach oben stieg, sah ich, wie sie ihren Handrücken sachte und zaghaft an der Wand entlangstreichen ließ. Ihre Haltung war leicht nach vorne gebeugt. Wir hatten die Rekonstruktion der Gaskammern und der Leichenverbrennungsöfen besichtigt, und plötzlich war Mutter still geworden, stellte keine Fragen mehr, und ich wußte, daß sie dem Vortrag unserer Führerin durch die Gedenkstätte schon seit einigen Minuten nicht mehr folgte. Es war Zeit, an die frische Luft zu kommen, und ich entschuldigte uns unter dem Vorwand, wir wären bereits sehr früh aufgebrochen und hätten noch keine Zeit gefunden, Kaffee zu trinken, die Austellung im oberen Stock könnten wir dann auch allein besuchen, wir wollten ihre Hilfe nicht unnötig länger in Anspruch nehmen. Sie sagte, daß wir uns vor der Abfahrt bei ihr im Büro melden sollten, denn sie hätte am Vortag im Archiv einen Teil der Krankengeschichte von Großmutter gefunden, nachdem die Suche über Wochen erfolglos verlaufen war. Eine Kopie läge für uns bereit. Mutter lehnte bereits an der halbgeöffneten Eingangstür, ich folgte ihr, so schnell ich konnte, hakte mich bei ihr ein und führte sie zu einer Parkbank, die in der Nähe unter einer Platane stand. Es war kalt, und ich breitete den Mantel, den ich während des Rundganges über meine Schulter gehängt hatte, auf der feuchten Sitzfläche aus.

»Hast du das alles gewußt, die Kammern, die Verbrennungsöfen?«

Mutter starrte auf das Portal des Gebäudes, das wir gerade verlassen hatten, einen dreistöckigen massiven Backsteinbau, im dumpfen Morgenlicht konnte man die hellen Neonleuchten in den Büroräumen im Parterre sehen. Ich atmete tief aus und fixierte den weißen Hauch meines Atems in der kalten Luft.

»Ja, ich habe darüber vorher schon gelesen, und ich habe dir auch vor einigen Monaten davon erzählt.«

Darauf reagierte sie erst nach einer Weile.

»Hören und Sehen sind für mich, wie es scheint, zwei unterschiedliche Dinge.«

Sie lehnte sich zurück, und ich war erleichtert, daß sie wieder sprach, ich hatte mir Sorgen um sie gemacht, als sie auf einmal so schweigsam geworden war.
»Es klingt sicherlich absurd, wenn ich das sage, aber ich bin froh, daß Großmutter nicht hier umgekommen ist.«
Nach einer Weile stand Mutter von der Bank auf und hielt sich mit beiden Händen krampfhaft am Gurt ihrer Handtasche fest, die sie über die Schulter gehängt hatte, dann kramte sie nach einem Hustenbonbon und bot mir eine der in gelbes Papier gewickelten Karamellen an, die sie zu jeder Jahreszeit bei sich trug, um den Hustenreiz zu unterdrücken, der sie manchmal ohne Vorwarnung befiel. Ich hatte meinen Mantel wieder an mich genommen, und wir gingen langsam auf die Eingangstüre zu, blieben zögernd eine Weile davor stehen.
»Ich würde gerne noch durch den Rest der Ausstellung gehen, wenn du nicht mehr magst, kannst du dich ja in den Warteraum setzen.«
Mutter sah mich auf meinen Vorschlag hin mit einem flüchtigen Lächeln an.
»Nein, nein, nicht zuviel Rücksicht auf mich, ich bin zwar alt, aber nicht so alt.«
Ich wollte sie nicht noch weiter belasten, und ich glaubte auch nicht, daß sie an weiteren Details noch interessiert sein würde. Wir hatten die Krankengeschichte aus Merxhausen bereits gelesen, die auch die Abschrift der Einträge aus Hadamar, Frankfurt und Marburg enthielt,

hatten den Friedhof besucht, auf dem Großmutters Asche irgendwo unter der Grasnarbe lag, wir hatten erfahren, woran sie gestorben war und wann, eigentlich hatten wir gefunden, wonach wir gesucht hatten, und wußten inzwischen mehr über Großmutter, als ich gefürchtet hatte.

Nach dem Rundgang durch die Ausstellung erhielten wir auch hier Großmutters Krankenakte zur Durchsicht und zogen uns in ein Zimmer zurück, um sie in Ruhe zu studieren. Einen Teil der Einträge kannten wir schon, und ich erwartete mir daher nicht viel Neues. Mutter schlug die erste Seite auf, während ich müde aus dem Fenster in den Park der Klinik blickte. Diesmal wollte ich ihr den Vortritt lassen, um sie nicht mit meiner beruflichen Routine zu stören, mit der ich mich üblicherweise solchen Schriftstücken näherte. Ich ließ sie eine Weile allein damit und setzte mich auf einen der Stühle, die an der Wand für die Besucher aufgereiht waren. Als ich bemerkte, daß sie nicht aufhörte, auf die erste Seite zu starren, ging ich beunruhigt zu ihr hinüber, um nachzusehen, worauf sie gestoßen war. Mutter sagte kein Wort, nahm meine Hand und hielt sie fest, um mit der anderen auf das Photo einer Frau zu zeigen, die mir wie aus dem Gesicht geschnitten ähnlich sah.

An die Landesheilanstalt Marburg an der Lahn
15.2.41

Meine Patientin Fräulein M.S., wohnhaft in Fechenheim/Frankfurt am Main, deren Mutter B.S., geb. am 26.3.1896, in der dortigen Anstalt sein soll, beabsichtigt zu heiraten. Zur Beurteilung der Erbtauglichkeit bitte ich höflichst um Mitteilung, um welche Erkrankung es sich bei der Mutter handelt und inwieweit das Leiden erblich ist. Mit bestem Dank im voraus.

Heil Hitler
Dr. V. H.
Prakt. Arzt
Frankfurt am Main/Fechenheim

An Dr. V. H., Frankfurt am Main/Fechenheim
19.2.41
Sehr geehrter Herr Kollege,

bei Frau B.S., der Mutter Ihrer Patientin M.S., handelt es sich um eine paranoide Form der Schizophrenie, und zwar in einer sehr ernsten Ausformung. Sie wurde 1935 im Alter von 39 Jahren erstmals auffällig. Die Heiratserlaubnis ist von Fall zu Fall verschieden zu beurteilen und vom Gesundheitszustand der Patientin und des Verlobten abhängig zu machen. Ist die Patientin gesund, und kommt ihr Verlobter aus gesunder Familie, so ist die Wahrscheinlichkeit, daß die Kinder auch krank werden, zwar gegeben, das Risiko wird aber tragbar sein.

Mit kollegialer Hochachtung
Heil Hitler
l. Oberarzt u. l. Med. Rat

An die Direktion der Landesheilanstalt Marburg
Frankfurt am Main / Fechenheim
16.6.41

Möchte hiermit bei der Direktion anfragen, wie es meiner Mutter, Frau B.S., geht und ob man sie besuchen kann. Bitte die Direktion um Auskunft.
Mit deutschem Gruß

M. S.

An Frl. M.S.
Frankfurt am Main/Fechenheim
20.6.41

Sehr geehrtes Fräulein S.,
der Zustand Ihrer Mutter ist immer wenig befriedigend. Sie ist sehr schwankend, manchmal finster, gereizt und gespannt, so daß man sich vor ihr fürchten kann. Zeitweise ist sie freundlicher und beschäftigt sich dann auch mit der Arbeit. Wir haben nichts gegen Ihren Besuch. Sie selbst hat gesagt, sie würde sich darüber freuen. Natürlich können wir Ihnen nicht sagen, ob Sie sie gerade an einem guten oder schlechten Tage antreffen werden.

Heil Hitler
l. Oberarzt und l. Med. Rat

Sandnes, Mai 98

Ich sah Fars Hand unruhig nach dem Korkenzieher greifen, seine Finger zitterten, Schweiß stand ihm in Tropfen auf der Stirn, wir waren zu lange unterwegs gewesen, es war Zeit für ein Glas Wein, denn er hatte an diesem Tag noch keinen Alkohol getrunken. Schon gleich nach der Rückkehr hatte er angefangen, unruhig zwischen der

Küche und seinem Büro hin- und herzuwandern, weil er vor mir Haltung bewahren wollte, bis ich ihn fragte, ob er nicht einen Aperitif vorbereiten könnte, während ich mich anerbot, die Küche zu übernehmen. Er wäre nicht mehr in der Lage gewesen, den Fisch zu braten, die Kartoffeln zu kochen, wie von ihm am Morgen angekündigt, als wir gemeinsam am Marktplatz an dem fahrbaren Stand, der dreimal in der Woche vormittags frischen Fisch anbot, Lachs und Garnelen einkauften und er sich darüber beklagt hatte, daß es das Geschäft nicht mehr gab, gleich neben dem Bahnhof, in dem alten grüngestrichenen Holzhaus, es war vor ein paar Jahren abgerissen worden. Ich hatte die Pfanne erhitzt und versuchte alles so zuzubereiten, wie ich es bei Mor früher gesehen hatte, die Kartoffeln mußten im schweren grauen Gußeisentopf kochen, in die große Kasserolle, die ich nur mit Mühe in einer Hand halten konnte, kam der Fisch, die goldgerandeten Teller stellte ich neben dem Herd zum Servieren bereit, ich wollte ihm zeigen, daß er sich um nichts zu kümmern brauchte und das erste Glas Weißwein im Stehen trinken konnte.
»Sag, was macht Mor jetzt ohne den kalten Kartoffelabsud, den sie sonst vor dem Frühstück gegen ihr Rheuma getrunken hat.«
Seine Hände waren inzwischen merklich ruhiger geworden, er hatte sich an den Küchentisch gesetzt und blätterte etwas unentschlossen in der regionalen Zeitung, dem *Jærbladet*, um, wie er sagte, aus einer Gewohnheit, die er

in den letzten Jahren entwickelt hatte, kurz die Todesanzeigen zu überfliegen.
»Wenn ich ein paar Kartoffeln gekocht habe, bring ich ihr den Zaubertrank mit, aber das kommt leider selten vor, da ich kaum je Lust habe, mich an den Herd zu stellen.«
Seine Mahlzeit bestand, wie er mir erzählte, am Morgen aus Sauermilch, einer Banane und ein paar Vitaminkapseln, am Nachmittag aus Kaffee, zwei, drei Kuchenstükken, die er im Supermarkt um die Ecke kaufte, und am Abend aus ein bißchen Brot, Käse und Wurst.
»Das genügt für einen alten Mann wie mich.«
Nach einer Pause ergänzt er verlegen, daß ich inzwischen wohl mitbekommen hätte, wie er den Hauptteil seines Kalorienbedarfes decken würde. Als ich begann das Essen aufzutragen, legte er die Zeitung zur Seite und sagte, in dieser Woche sei keiner seiner Bekannten zu beerdigen.
»Angenommen die Nazis wären noch an der Macht, dann hätten sie Mor nicht in ein Pflegeheim gesperrt, sondern wahrscheinlich gleich umgebracht, und ich wäre in einer Trinkerheilanstalt gelandet.«
Mit der Gabel zerteilte er langsam die Blumenkohlstücke und goß die zerlassene Butter darüber, um anschließend umständlich die Schuppenhaut des Lachses abzulösen, und ich dachte, er würde gar nicht mehr zu essen beginnen, weil inzwischen sein Hunger vergangen sei oder weil er in seine stummen Grübeleien verfallen war, die ich in

diesen Tagen immer wieder an ihm beobachtet hatte und die er gar nicht zu bemerken schien.

Wir aßen eine Weile schweigend, bis er von Mors Familie zu erzählen begann, von ihren Eltern und ihren Geschwistern. Eine der Schwestern hatte später im Krieg einen hochrangigen SS-Mann geheiratet und mehrere Nachweise über ihre Herkunft erbringen müssen, bis sie die Heiratserlaubnis bekam. Dieser Deutsche, den er nie richtig kennengelernt hatte und der ihm mit seiner aufdringlichen Art zuwider gewesen war, kam aus Rußland nicht mehr zurück, wie auch ein paar von Fars Parteibekanntschaften, die sich freiwillig gemeldet hatten.

»Aber Mors Schwester hat Glück gehabt, denn stell dir vor, wie es ihr ergangen wäre, wenn sie damals von dem Deutschen schwanger gewesen wäre.«

Er erzählte, man hätte diese Kinder entweder in Heime gesteckt, oder sie wären in der Psychiatrie gelandet, nachdem man sie ihren Müttern als sogenannte Bastarde abgenommen hatte. Die Frauen waren geächtet, fanden keinen Mann mehr und wurden als Deutschenhuren beschimpft.

»Mit dem Ende des Krieges ist nicht alles vorbei gewesen.«

Er hatte die erste Flasche Wein fast alleine getrunken, denn ich war mir sicher, nicht mehr als zwei kleine Gläser davon genommen zu haben. Er schien völlig gelöst, war gesprächiger geworden, erzählte Anekdoten. Als er auf die Lebensmittelknappheit der letzten Kriegsjahre zu

sprechen kam und lächelnd schilderte, wie ein entfernter Verwandter den Deutschen die letzten fetten Hauskatzen des Ortes als Feldhasen verkauft hatte, mußten wir beide lachen.
»Aber ich kann mich nicht beklagen, auch wenn ich mir immer wieder einrede, schlecht weggekommen zu sein.«
Er erzählte, einer der Freiwilligen sei mit einem Hüftschuß zurückgekommen, an sämtlichen Zehen und Fingern hätte er Erfrierungen gehabt und sei völlig abgemagert gewesen. Als er nach einem Jahr wieder auf den Beinen war und auch noch eine Tuberkulose überlebt hätte, sei er von einem der Entnazifizierungstribunale ins Arbeitslager geschickt worden und sei länger dort gewesen als Far.
»Er kam nie mehr im normalen Leben an und hat sich vor vierzig Jahren ertränkt.«

An Frl. M. S.
Frankfurt am Main/Fechenheim
4.5.1943

Sehr geehrtes Frl. S.,
im Befinden Ihrer Mutter ist eine wesentliche Verschlechterung eingetreten, so daß mit einem ernsten Ausgang gerechnet werden muß.

Ich bitte Sie auch alle in Frage kommenden Angehörigen benachrichtigen zu wollen.

Landes-Obermedizinalrat
E. H.

Eintrag Krankengeschichte Landesheilanstalt Merxhausen
Abteilung III C, den 8. Mai 43

Die Kranke, Frau B. S., geborene S., aus Bergen Enkheim ist am 8. Mai 1943 um 4.30 Uhr verstorben.
Oberpflegerin M.

Beerdigung am 12. Mai 1943

A. B. Nr.: 5678
1) Anzeige an den Herrn Oberpräsidenten pp. in Kassel
2) Anzeige an den Herrn Oberstaatsanwalt zu Hanau
3) Anzeige an das Standesamt hier
4) Anzeige an den Vormund, Rechtsanwältin Dr. A. M., Frankfurt / M
5) Anzeige an das Bez. Fürsorgeverband Hanau-Land
Beerdigungskosten 60,– RM
Abgangsermäßigung an die Kasse: 2,50 RM

Ausfertigung eines Leichenscheines-Leichenpasses
Vermerk in der Abgangsliste/Totenliste
Verzeichnis der Aufnahmeakten
Verzeichnis der katholischen Pfleglinge
Telegramm Verständigung an die Tochter Frl. S. Frankfurt 1,65 RM
Telegramm Mutter verstorben, wo Beerdigung 1,50 RM
Mitteilung an die Oberpflegerin (Zeit der Beerdigung)
Nachricht an den Herrn Pfarrer

Telegramm
An die
Landesheilanstalt Merxhausen bei Kassel
9.5.43

Betrifft Frau B. S.
Anreise unmöglich
Bitte um Beerdigung an Ort und Stelle
Bitte Nachricht bezüglich des Datums

M. S.
Frankfurt am Main / Fechenheim

An Frl. M. S.
Frankfurt am Main / Fechenheim
13.5.43

Sehr geehrtes Fräulein S.,
Ihre Mutter ist am 12. des Monats auf dem hiesigen Friedhof beerdigt worden. Die hier entstandenen Beerdigungskosten betragen RM 60,–.
Ich bitte, diesen Betrag zuzüglich 3,15 für zwei Telegramme, insgesamt RM 63,15 zur Zahlung zu übernehmen und an die hiesige Anstaltskasse-Postscheckkonto Frankfurt / M. 85270 zu überweisen.

Landes-Oberrentenmeister
O. L.

Die der Station zugewandte Panzerglasscheibe im Zimmer des Pflegepersonals vibriert unter den harten Schlägen der aufgebrachten jungen Frau, die schrill kreischend nach ihren Zigaretten verlangt. Die rote Schirmmütze hat sie tief in die Stirn gezogen, ihre blonden strähnigen Haare hängen wirr über die Ohren, umrahmen unscharf ihr blasses Gesicht mit den dunkelblau schimmernden Tränensäcken unter den Augen. Sie ist seit einem Monat hier auf der Abteilung, sie erkennt ihre Angehörigen nicht mehr, erzählt zusammenhanglose Dinge, sitzt oft stundenlang reglos herum, um unvermittelt in einen Sprachrausch zu verfallen und, begleitet von überschießenden unkoordinierten Bewegungen, in einen nicht enden wollenden Erregungszustand zu geraten. Sie ist Mitte Dreißig, hat zwei Kinder, war bis vor kurzem Anwältin in einer angesehenen Kanzlei in der Stadt. Seit zwei Wochen weigert sie sich, den Kopf zu waschen, sie hat Angst, das Wasser könnte ihr das Gehirn aufweichen, und beginnt zu schreien, sobald eine der Schwestern mit ihr das Bad betritt. Es ist nur möglich, sie mit einem feuchten Tuch sanft abzureiben, mehr läßt sie nicht zu. Ich mache eine beruhigende Geste, forme mit meinen Lippen tonlos und langsam – später –, sie kann mich nicht hören, weil der Raum nach drinnen zur Station hin so schalldicht abgeschlossen ist. In ihren aufgerissenen Augen sehe ich ein erstarrtes Staunen, das losgelöst die obere Gesichtshälfte dominiert, während die Mundpartie schlaff und ausdruckslos – später – zu wiederholen scheint. Sie läßt die an die Scheiben gedrückten Hände hinabgleiten, das Kinn sinkt auf die Brust, ich verliere ihren Blick, sie dreht sich um und geht auf die Couch im Erker zu, setzt sich, nachdem sie ein paar Sekunden lang im Stehen unschlüssig verharrt hat, umständlich hin, ihr Rücken steif, sie lehnt sich nicht zurück, ihre Augen fixieren den Boden. Von der Seite sehe ich ihre Lippen, die sich weiter bewegen, und ich weiß, sie wird in einigen Minuten wiederkommen, wird an die Scheibe klopfen, ein sich ständig wiederholendes, nicht auszusetzendes Spiel, es ist noch eine halbe Stunde Zeit bis zum Abendessen, bis dahin soll sie nicht mehr rauchen. Ich sitze im Stationszimmer hinter dem Panzerglas, habe die Krankengeschichte der älteren Frau mitgenommen, die vor einer halben Stunde von der Polizei zur Aufnahme gebracht worden ist, mit heute ist sie in den letzten zwanzig Jahren zum elften Mal in die Klinik eingewiesen worden. Sie hatte den ganzen Nachmittag im flachen Wasser eines nahe gelegenen Sees kauernd verharrt und war von Passanten nicht zu bewegen gewesen, wieder ans Ufer zu kommen, bis die Beamten und der Arzt, die schließlich gerufen worden waren, sie unterkühlt ins Ambulanzauto getragen hatten. Sie hatte es geschehen lassen, ohne Gegenwehr. Über diese Frau gibt es bereits eine umfangreiche, viele Seiten umfassende Krankenakte, eingeschlagen in eine an den Ecken abgewetzte und zerfranste graue Pappendeckelmappe. An die Innenseite des Umschlags geheftet, die Porträtaufnahme einer jungen Frau, darunter steht der Name und Juli 1975, sie trägt ein quergestreiftes enganliegendes Leibchen mit schmalen Trägern, die Haut wirkt weiß, der Gesichtsausdruck ist ernst. Fragend richtet sie den Blick in die Kamera, der Hintergrund verschwimmt undeutlich in hellem Grau, am rechten Bildausschnitt ist die Silhouette eines braunen Kastens erkennbar, das Bild wurde bei ihrem ersten Klinikaufenthalt gemacht. Jetzt liegt sie in Decken eingewickelt im Beobachtungszimmer, die Schwester mißt die Körpertemperatur, den Blutdruck, während ich nach den letzten Einträgen in der Akte suche, um herauszufinden, welche Medikamente sie bekommen hat. Beiläufig bleibe ich an der Beschreibung ihrer Lebensgeschichte hängen, die mich im Moment gar nicht zu interessieren hat, ich habe es eilig, werde morgen vielleicht darin weiterlesen können. Ein paar Daten im Überfliegen der Seiten, Vater früh an Krebs verstorben, Mutter Alkoholikerin, sie hatte die Schule mit vierzehn abgebrochen, verschiedene kurze Anstellungen, Heirat, Scheidung vor drei Jahren, seither ist sie in einer betreuten Wohngemeinschaft untergebracht, aus der sie immer wieder tagelang verschwindet. Ich höre wieder das Poltern an der Glasscheibe neben mir, wende mich ab, stehe auf, sehe durch das zweite Fenster in der Wand neben dem Schreibtisch der Schwester bei ihrer Arbeit zu, sie versucht der im Bett halb aufgerichteten älteren Frau Tee einzuflößen. Das Klopfen hinter mir wird immer stärker, und ich weiß, daß ich mich nur umdrehen muß, mich der jungen Frau zuwenden, sie mit meinem Blick beruhigen, um das Klopfen zu unterbrechen. Die Türschnalle wird nach unten gedrückt, zuerst vorsichtig, dann immer heftiger, die Unruhe hat sich bereits auf andere übertragen, es ist wie eine Kettenreaktion, die von einem zum anderen weiterspringt und wenn man nichts unternimmt, in Windeseile alle zehn Insassen auf der Station mit sich reißt. Ich überlege kurz, ob ich die Tür öffnen soll. Ich sehe durch das Panzerglas, dem ich mich jetzt wieder zuwende, wie ein Pfleger ruhig einen großgewachsenen Mann an der Hand nimmt und ihn von der

Tür wegführt, die er mit Gewalt zu öffnen versucht hatte, ich sehe der jungen Frau in die Augen und hebe meine Hände mit gespreizten Fingern, sage laut, zehn Minuten, sie scheint verstanden zu haben, sie klopft nicht mehr, sieht mich durchdringend an, und ich höre mich – Umstellformat – sagen, langsam und deutlich – Umstellformat –.

MELITTA BREZNIK

Figuren

*Erzählungen, 120 Seiten, Sammlung Luchterhand 2008*

Elegant und stilsicher erzählt Melitta Breznik acht Geschichten von Frauen und Männern, acht mit großem Feingefühl entworfene Physiognomien von Menschen, die, allein gelassen, sich immer heftiger in ihren Gefühlen verfangen und die dennoch von einer großen Kraft getragen werden. Sie geben sich nicht auf, im Gegenteil, sie setzen sich jeweils auf ihre Weise zur Wehr.

*Erschütternd schön.* Elmar Krekeler, Die literarische Welt

*Melitta Brezniks Erzählungen sind poetische Todesanzeigen und literarische Gegenwartskunde in einem: nicht trostlos, sondern untröstlich.* Andrea Köhler, NZZ

*Melitta Brezniks zweites Buch versammelt acht lebenstraurige Erzählungen über den Abschied, acht Einsamkeitsbilder von großer Eindringlichkeit.* Hubert Spiegel, FAZ

HELLA ECKERT

# Hanomag

*Roman, 190 Seiten, Sammlung Luchterhand 2007*

Hella Eckert erzählt die Geschichte einer Familie in den Sechzigern, die aus dem ländlichen Süden aufbricht und sich am Meer zwischen Hafenbecken, Containern und einer Bar niederläßt. Der Vater folgt falschen Ratgebern, das große Geschäft bleibt aus, ein Unglück geschieht, doch womit niemand mehr rechnet: Am Ende bekommen sie eine zweite Chance.

*Ein erotischer Fahrtwind weht durch den Roman, der eine kleine alltägliche Familiengeschichte groß erzählt … Ein wundersamer wunderbarer Roman, vorsichtig wie die Liebe und auch so schön.* Verena Auffermann, SZ